KB171977

나의 삶, 인류학적 이야기

나의 삶, 인류학적 이야기

발 행 | 2024년 07월 02일
저 자 | 김용수
펴낸이 | 한건희
펴낸곳 | 주식회사 부크크
출판사등록 | 2014.07.15.(제2014-16호)
주 소 | 서울특별시 금천구 가산디지털1로 119 SK트윈타워 A동 305호
전 화 | (02) 1670-8316
이메일 | info@bookk.co.kr

ISBN | 979-11-410-9220-7

www.bookk.co.kr

나의 삶 인류학적 이야기

김용수 지음

이 책 쓰면서

-또 다른 '젊은 나' 꿈꾸며-

모두가 행복한 삶을 위해 부단히 노력하지만 그 목표에 도달하는 사람은 과연 얼마나 될까? 행복에 관한 책들이 이미 너무나 많은데, 서점에 새로운 책들이 계속 쌓이고 있는 것을 보면, 행복에 도달하고자 하는 사람은 많아도 그 목표에 도달한 사람은 별로 없는 것 같다.

인생을 살아가면서 우리는 어린 시절의 이야기와 추억을 늘 되새기게 된다. 그것을 바꾸거나 잊어버림으로써 부정할 수도 있지만, 마치 마법에 걸린 것처럼 자신이 누구이고 어떻게 지금의 모습이 되었는지를 생각하다 보면 자연스럽게 어린 시절의 모습을 떠올리게 된다.

지금 모든 세대는 생애의 매 단계마다 윗세대가 경험하지 않았던 도전들에 직면하고 있다. 청년기와 노년기는 점점 길어지는 반면, 마음껏 뛰어놀 유년기와 '한창 일할 나이' 는 갈수록 짧아진다. 일생에 걸친 "발달과 업" 이 만만치 않다. 어느 세대 할 것 없이 고군분투 중이다. 어떤 모습의 어른으로 성숙할 것인가. 행복하게 늙어가는 방법은 무엇인가. 답을 찾기 위한 준거(準據)도 없이 저마다 암중모색하고 있다. 생명의 약동은 무엇인가. 뒤죽박죽 얽히고 꼬이는 시공간에서 삶의 질서를 어떻게 세울 수 있을까.

삶은 시간을 창조한다. 인간은 역사를 만드는 동물이다. 역사는 단순한 사실의 축적이 아니다. 과거와 현재와 미래를 유기적으로 잇는 서사(敍事)가 역사다. 역사는 거대한 집단뿐 아니라 개인의 차원에서도 생성된다. 시간의 연속성 속에서 자신을 발견할 때, 우리는 비로소 '살아 있음' 을 확인한다. 경험을 이야기로 빚어내고 그 의미가 타인에게 공명될 때, 인생은 '살맛' 이 난다. 그것이 가능하려면 삶을 관조할 수 있는 여백이 필요하다. 그 화면 바탕에 떠오르는 삶의 흔적들을 건져 올려 자아의 빛깔로 아로새길 수 있는 언어가 있어야 한다.[1)]

이제 당신도 자서전을 쓰고 싶지 않겠는가? 자서전은 나이든 사람들, 나름 인생을 다 산 사람들만의 전유물이 아니다. 오히려 남은 인생이 더 많은 사람, 즉 아직도 젊은이들에게 유리한 인생 반전의 기회를 안겨줄 수 있다고 믿고 싶다. 그렇다. 자서전은 미래를 준비하는 내 인생의 전망대다. 그래서 현명한 사람이라면 누구라도 도전해볼 만한 가치가 있는 우리 인생의 위대한 프로젝트다.

멀리, 내 인생의 동서남북을 바라보며 다가올 나만의 인생 이야기, 나 자신이 그 이야기의 진정한 주인공이 되어 내 자서전을 만들어보자. 그것은 살아온 날들을 돌아보며 장차 내가 살아갈 날들을 준비하자는 것이고, 미래를 후회 없이 용기 있게 맞이하자는 것이며, 건강하고 아름다운 인생 만들기를 시작해 보자는 것이다.

돌이켜 보면 20대 후반 패기 하나로 홀로 섰다. 고희(古稀)를 넘어선 지금은 마음을 나눌 내 편이 곳곳에 포진해 있지 않은가. 이

---

1) 김찬호. 생애의 발견, 서울: 인물과사상사, 2010: 7-8.

쯤에서 만절(晩節)이라는 말을 반추해 본다. 나이 들어서도 절개를 잃지 않고 더욱 소중히 여긴다는 그 의미를 가슴속에 새긴다.

자서전은 어떤 사람이 과거에 경험한 일을 자신의 이름으로 저술한 책을 말한다. 자신에 대해 솔직하게 고백하듯 써 내려간 책이므로 나로서는 책의 무게와 책임감이 여느 책들과는 전혀 다르다. 자신의 전 인생이 발가벗겨진 채로 세상에 나가기 때문이다. 지나온 인생에 대해 이런 식으로 말할 용기를 가졌다면, 남은 인생에 대해서도 더는 두려울 것이 없을 것이다.

그동안 교직에서 경험하고 공부했던 것을 모으고 정리한『나의 삶과 체육·스포츠, 인류학적 이야기』를 집필하면서 삶의 작은 역사『자서전 쓰기』가이드북을 만들게 되었다. 그 후 졸고(拙稿)의 미진한 부분이 너무 많아 개정 증보판으로『자서전을 쓰면서 행복찾기』를 집필하게 되었다.

내 나이 망팔(望八), 이제야 시작했다. 나 자신에 대해 이야기하는 것을 말이다. 나는 이렇게 살아왔다는 의미로 자서전『나의 삶을 말하다』를 집필하였다. 나는 그저 직설적으로 이야기를 할 수 있을 뿐이다. 그게 사실인지 아닌지는 문제가 되지 않는다. 유일한 문제는 내가 말하는 것이 나의 이야기, 나의 진실인가 하는 점이다. 이러한 관점에서 다시 자서전으로 인류학적 측면에서『나의 삶, 인류학적 이야기』를 집필하게 되었다.

2024년 7월

海東 김용수 씀

차례

Ⅰ. 들어가는 글

당신은 왜 그렇게 사십니까? 느닷없는 질문에 잠시의 망설임. 답을 하기 전에 '어떻게 답해야 할까?', '내가 지금 어떻게 살고 있지?' 라는 질문을 재빠르게 던진다.

"글쎄요. 답이 될 수 있을지는 모르겠지만 이렇게 사는 것이 옳다고 믿기 때문입니다. 그리고 무엇보다도 이렇게 살아야 저 자신이 행복할 수 있으니까 지금까지 이렇게 살아왔습니다."

굉장히 철학적인 질문에 그저 현실적으로 평범하게 답한 것 같아 마음이 썩 개운치는 않았다. 얼마 전 지역에서 활동하시는 종교계 큰 스승과의 만남에서 나누었던 대화의 한 장면이다. 자리에 함께한 분들의 얼굴을 돌아가며 살피니 오호라 그들 모두 평탄하지는 않은 삶을 살아왔고, 지금도 그런 삶을 살아가고 있는 사람들이다. '그래서 이런 질문을 던지셨구나!' 싶었다. 종교, 정치, 농업·노동계와 언론, 교육, 문화예술계의 현장에서 다들 나름의 뜻과 정의로움을 위해 살아가고 있는 사람들이다. 나도 그렇다.

아리스토텔레스(Aristoteles)는 "행복한 생활은 덕에 의한 경우가 많다. 덕을 실천하는 사람, 덕을 생활 속에 베푸는 사람 그런 사람에게 행복이 따른다. 행복하고 싶거든 덕에 의한 생활을 하라." 고 말한 바 있다.

자서전은 어떤 사람이 과거에 경험한 일을 자신의 이름으로 저

술한 책을 말한다. 자신에 대해 솔직하게 고백하듯 써 내려간 책이므로 나로서는 책의 무게와 책임감이 여느 책들과는 전혀 다르다. 자신의 전 인생이 발가벗겨진 채로 세상에 나가기 때문이다. 지나온 인생에 대해 이런 식으로 말할 용기를 가졌다면, 남은 인생에 대해서도 더는 두려울 것이 없을 것이다.

자서전을 통해 이미 맛본 절망과 실패를 숨김없이 털어놓았으니, 남은 인생을 살아갈 자신감도 넘치지 않겠는가? 그렇다. 자서전은 단순한 과거 이야기가 아니다. 감상적 추억담도 아니다. 잃어버린 나의 정체성을 찾아 나에게 되돌려주는 작업이다. 자서전은 나를 성공으로, 번영으로, 기쁨으로 이끌어주는 아주 실제적인 자기계발서다. 자서전은 내 삶의 소중한 장치, 곧 내 인생에 긍정의 에너지를 공급할 내 인생의 강력한 발동기가 될 것이다.[2)]

편하게 술 한잔하자고 만난 자리에서 심오한 삶의 철학을 마주하고 나니 순간순간 나약해지려고 했던 모습이 떠올라 부끄럽기도 했지만 지난 34년의 교육 인생을 다시금 하나하나 챙겨서 돌아볼 수 있는 계기가 되었다. 만남을 마치고 집으로 돌아오는 길에 수없이 되뇌었다. '옳게 살려고 애쓰는 것은 중요한 일이다. 그러나 그릇되게 살지 않으려고 애쓰는 것 또한 같은 값으로 소중하다.' 라는 것을.[3)]

결국 한 사람의 과거는 그저 과거로 흘러가 버리는 것이 아니라 그의 삶에 흡수되기 때문이다.

---

2) 조상윤 외. 나는 꽃, 글래스하퍼 크리에이티브, 2016: 3..
3) 임영택. 당신은 왜 그렇게 사십니까? 충북일보, 2024. 03. 05.

동진공화국(東震共和國)

동진공화국(東震共和國)의 동진(東震)은 동쪽 진방(震方)[4]의 나라 즉 우리나라를 가리키는 말이다. 이승만, 김구, 여운형, 김일성 등 4인을 포함한 동진공화국 조각 명단은 해방 이튿날부터 벽보와 비라 형태로 전국 각지에 나돌았지만, 실물이나 사진은 현재 전하지 않는 것으로 보인다. 이 사안은 혼란스러웠던 해방정국과 6.25 남침전쟁을 겪으면서 잊혀졌는데, 일본 패전 후 1946년 3월말까지 서울에 남아 일본인들의 본국 귀환 업무를 도운 모리타 요시오(森田芳夫, 1910-1992)가 1964년에 간행한 『조선 종전의 기록(朝鮮終戰の記錄)』[5]에서 이를 언급하면서 다시 알려지게 되었다. 하지만 유언비어에 불과한데다 후대의 기록이라 김일성 진위 문제와 관련해서 별다른 주목을 받지는 못했다.

4) 진방(震方)은 팔방(八方)의 하나로 정동을 중심(中心)으로 한 45도 각도(角度) 안의 방위(方位)를 가리킨다.

5) 모리타 요시오(森田芳夫, 1910-1992), 『朝鮮終戰の記錄 : 米ソ両軍の進駐と日本人の引揚』, 東京 : 巖南堂書店, 昭和39(1964): 81.

그런데 근래의 문헌 전산화 덕에 해방 직후 북한 김일성이 1945년 10월 14일 대중 앞에 처음 출현하기 이전에 이를 기록한 문헌들이 몇 건 발굴되었다. 이는 북한에 김일성을 자칭하는 인물이 등장하기 전부터 김일성(金日成)이란 이름이 각료로 거론될 정도로 유명했다는 명백한 증거이다. 이 김일성은 이승만(1875~1965), 김구(1876~1949), 여운형(1886~1947) 정도로 일찍부터 이름이 알려진 사람이라야 하며, 연배도 그들과 비슷한 정도는 되어야 한다. 당시 국내 사람들이 그 존재를 전혀 모르던 소련군 88여단의 진지첸(Цзин Жи Чен, Jing Zhichen, 북한 김일성) 대위가 아니라, 바로 1920년경부터 이름이 유명했으나 실제 누구인지는 불분명한 전설적인 김일성 장군으로 볼 수 있다.

동진공화국 각료명단에는 북한 김일성(1912~1994)보다 훨씬 더 나이도 많고 항일투쟁 경력도 길며 지명도도 높은 김규식(1881~1950), 조만식(1883~1950), 김두봉(金枓奉, 1889 ~ 1961 ?), 김원봉(1898~1958), 박헌영(1900~1956)이나 김무정(1904~1951) 같은 사람들조차 거론되지 않으므로 여기의 김일성은 북한 김일성이 될 수는 없다. 북한 김일성이 해방 후 평양에 처음 왔을 때 그의 인지

도는 조만식과는 감히 비교 대상이 되지도 못했고, 대부분 사람들이 그가 어디서 뭘 하다 온 사람인지 알지도 못했다.[6] 해방 당시 33세에 불과한 그가 1920년경부터 이름이 유명했던 김일성 장군이 되기에는 나이가 맞지 않는 것이 자명하므로 김일성 장군을 자칭하며 10월 14일 대중 앞에 처음 나서던 그날부터 가짜라는 말을 듣게 되는 것이다.

소련 군함을 얻어타고 비밀리에 9월 19일 원산항으로 입북하여 평양에 온 소련군 진지첸(김일성) 대위는 국내에서 무명 인사에 불과했고, 김영환(金永煥)이란 가명으로 비밀리에 민심을 살피며 다니다 사람들이 김일성 장군을 주요 각료로 거론하며 귀국을 기다린다는 것을 알고 같은 이름을 사용하여 자신이 그 유명한 김일성 장군인 것처럼 행세한 것이다. 어릴 때 만주로 가서 거기서 성장하고 이후 동북항일연군과 소련군에 있었던 북한 김일성에 대해서 아는 사람은 어린 시절의 그를 기억하는 고향마을 사람들 몇몇 외에는 국내에는 아무도 없었다(참고 : 북한 김일성은 전설의 김일성 장군 행세를 하여 그 명성을 훔쳤다).

6) 김일성 관련 자료 목록. 해방 당시 김일성은 국내서는 무명인사 : 우남위키.

동진공화국 수립에 관한 벽보와 비라는 해방 이튿날부터 전국 각지에 나돌았고, 심지어 만주에서도 방송에 나왔다는 증언까지 있다.[7][8][9] 짧은 기간에 이런 유언비어를 전국에 배포할만한 배후조직이 당시에는 보이지 않으므로 조선총독부가 한 일로 추정하는 사람도 있지만[10] 명백한 근거는 없다. 당시 조선총독부는 일본 항복 선언 후 조선인들이 폭동을 일으켜 일본인들을 무차별 살상하는 일이 발생하는 것을 가장 두려워하고 있었는데, 이런 헛소문을 퍼뜨리는 것이 조선인들을 진정시키는 데 도움이 된다고 생각했을지는 미지수이다. 조선총독부는 일본의 항복 후에도 미군이 서울에 진주해올 때까지 실질적인 통치권을 행사하고 있었다. 동진공화국 벽보와 비라는 전국에 동시다발적으로 뿌려졌음에도 실물이 현재 전하는 것은 없는 것 같고, 그 내용을 기록한 문헌만 남아 있다.[11]

---

7) 만주에까지 퍼진 동진공화국 루머.

8) 白善燁(백선엽) 回顧錄(회고록) 軍(군)과 나 (11) 5년만의 平壤(평양) 1988.09.01 경향신문 5면.

9) 南北(남북)의 對話(대화) <46> 괴뢰 金日成(김일성)의 登場(등장) (5) 蘇軍(소군)과 金日成(김일성) 1972.01.25 동아일보 4면.

10) 政客(정객)통해 파헤친 해방전후사 1991.07.01 경향신문 23면.

11) 대한민국임시정부자료집 41권 일본 · 미국보도기사 / 일본보도기사 / 165. 피로 물들인 조선의 독립운동, 전쟁과 함께 치열화, 앞길에 여전히 수많은 파란 : 『朝日新聞』(東京版), 1945년 10월 3일. 국사편찬위원회 2011년 06월.

왜? 삶의 이야기를

나는 어렸을 때 어머니에게 나의 출생이 궁금해서 이것저것 꼬치꼬치 캐물었다. 그런데 그때마다 돌아오는 대답은 그다지 만족스럽지 못했다. 나는 어머니를 따라다니며 꽤 성가시게 졸라댔다.

"어디서 태어났어요?"

"아버지는 어디 계세요?"

"아버지는 왜 오시지 않지요?"

"나중에 네가 좀 더 자라면 말해 줄게"

그러다 또 외할아버지에게 똑같은 내용을 물어봤다.

"좀 더 크면 자연히 알게 된단다. 이름은 김복동이야!"

담배만 피우시고 돌아오는 답은 그 이상도 그 이하도 없었다. 뭔가 말 못 사연이 있는 듯 보였다. 아버지에 대한 상상은 내가 품고 있는 환상 속에서만 존재할 뿐이었다.

때와 장소를 잘못 골라 물어볼 때도 있었지만, 그보다도 어머니는 나의 출생이나 어린 시절에 대한 기억을 떠올리는 걸 그다지 달가워하지 않으셨다. 수년이 흐른 뒤에 나의 어린 시설을 그려 볼 수 있는 기회가 생겼고, 그리하여 나의 씁쓸한 어린 시절을 들을 수 있는 기회를 가졌고, 나의 어린 시절을 떠올리기를 망설이셨던 이유도 알 수 있게 되었다. 다행히 어머니는 이후에 생각을 바꾸셨고 어린 시절의 기억을 하나씩 나에게 들려주기도 하셨다.

장 자크 루소(Jean-Jacques Rousseau)[12]는 이런 말을 했다.

"아이가 아이답고자 하는 것은 타고난 본성이다."

어린아이였을 때 우리는 그 자체로 존재하였고, 동시에 어떤 존재가 돼 가는 여정이 있기도 했다. 내 어린 친구 하나가 한번은 이런 말을 했다.[13]

"제가 아이이기 때문에 좋은 점이 뭔지 아세요? 지금은 재미없고 신나게 매달릴 일이 없다고 해도 곧 기분이 좋아질 어떤 일이 일어나리라는 것을 안다는 거예요. 이제 곧 저는 두발자전거를 탈 수 있을 거예요. 지금은 앞으로 가기만 하고 방향을 바꾸는 건 못하지만요. 이번 여름에는 수영을 할 거예요. 물속에서 눈을 뜨고 말이에요. 사실 지난 여름에는 좀 무서웠어요. 그래서 지금 자그만 물웅덩이에서 연습을 하고 있어요. 다른 것들도 물론 많아요. 하지만 지금은 자전거하고 수영에 대해 생각하는 것이 좋아요."

이 모든 것이 어린 시절에는 매우 중요하다. 나뿐만 아니라 우리 모두가 겪은 일이기도 하다. 나는 어떠했는가?

내가 어떻게 자랐고 무엇을 배웠는지, 어린 시절 나는 어떠했는지, 이러한 것을 쉽게 떠올리고 말하기는 쉽지 않지만 숨김없이 말하고자 한다.

"모든 인생은 일어났던 사건이나 무대에 관계없이 고유의 가치

---

12) 이성의 시대를 끝맺고 낭만주의를 탄생시킨 사상을 전개했다. 장 자크 루소의 개혁사상은 음악을 비롯한 여러 예술에 혁신을 가져왔고 사람들의 생활방식에 큰 영향을 끼쳤으며 자녀에 대한 부모의 교육방식에도 변화를 일으켰다. 우정과 사랑에서 예의바른 절도보다는 자유로운 감정표현을 중시했다. 종교를 버린 이들에게는 종교적 감성을 숭배하도록 인도했으며, 누구나 자연의 아름다움에 눈뜨고 자유를 가장 보편적 동경의 대상으로 여길 것을 역설했다.

13) Linda Spence(린다 스펜스). 내 인생의 자서전 쓰는 법/황지현 옮김, 2008: 46.

를 지닌다. 누군가 자신의 경험을 정직하게 바라보고 지나치게 꾸미는 일 없이 기록한다면 다른 이들과 충분히 나눌 수 있다"[14)]

오십이 넘어서면 대체로 상대방과 세 가지 정도의 화제(話題)를 조심할 필요가 있다. 첫째, 요즘 무슨 일을 하느냐고 물어보는 거다. 잘 다니던 회사를 사표를 냈다거나 근근이 꾸려가던 사업을 말아먹었는지 모르기 때문이다. 둘째, 자녀에 관한 이야기를 삼가야 한다. 어떤 친구가 불쑥 자랑을 한다. "우리 아이 이번에 00그룹 차장으로 승진했는데 말이야." 맞은 편에 앉아 있던 친구의 얼굴에 그늘이 간다. 그 집 아이는 취직은커녕 밤낮 사고만 치고 부모와 오나전히 등을 돌리고 산단다. 셋째, 아내의 안부를 묻는 것도 눈치 없는 것이 될 수 있다. 옆에서 친구가 쿡쿡 찌르며 조용히 속삭인다. 저 친구 작년에 이혼한 줄 몰랐냐고.

그렇듯 위험한 화제를 피하다 보면 남는 것이 주로 추억담이다. 학교 다닐 때 자네는 이런 친구와 어울렸고 저 친구는 수업 시간마다 잠만 잤지 등. 자기가 현재 살아가고 있는 이야기를 유쾌하게 나누는 것은 점점 어려워진다. 세상이 험난해지고 경쟁에 치여 살다보니 삶이 까칠해진 것인지 모른다. 게다가 자녀 문제에서 부모의 건강에 이르기까지 걱정과 푸념만 늘어난다. "안녕하십니까?" 우리는 이 단순한 인사조차 건네기 어려운 시대를 살고 있나.

나이가 들면서 우리나라 사망률에 비추어 예전 같지 않은 몸을 실감하고 종종 날아드는 비보(悲報)로 확인한다. 신체의 노쇠함과 함께 마음도 빈궁해진다. 자기만의 스토리텔링(storytelling)이 어색

---

14) Iris Origo(아이리스 오리고), 자서전『영상과 그림자(Images & Shadous)』.

하게 느껴진다. 왜 그럴까. 그 답을 구하는 과정에서 나는 지난 세월을 돌아보고 앞으로 살아갈 날들을 내다보게 되었다.

지금 한국인들이 통과하는 생애 경로는 비슷한 행로의 반복이 아니다. 윗세대가 밟았던 길을 아랫세대가 따라가지 않는다. 이러한 사정은 근대 이후 어느 사회나 마찬가지겠지만. 지금처럼 패러다임이 근본적으로 바뀌고 있는 상황에서 그 단절은 더욱 두드러진다. 부실한 사회와 경제에 글로벌 격변의 충격이 가중되는 한국에서, 생애는 더욱 예측 불가능한 블랙박스(black box)가 되어간다.

'삶이 비극인 것은 우리가 너무 일찍 늙고 너무 늦게 철이 든다는 점' 이라고 피에르(Emile Pierre Devise) 신부는 말했다.[15)]

밥 무어헤드((Bob Morehead)가 쓴『우리 시대의 역설(The Paradox of Our Age』상기해 보자.

건물은 높아졌지만 인격은 더 작아졌다.
고속 도로는 넓어졌지만 시야는 더 좁아졌다.
소비는 많아졌지만 더 가난해지고, 더 많은 물건을 사지만 기쁨은 줄어들었다.
집은 커졌지만 가족은 더 적어졌다.
더 편리해졌지만 시간은 더 없다.
학력은 높아졌지만 상식은 부족하고, 지식은 많아졌지만 판단력은 모자란다.

---

15) 김찬호. 생애의 발견, 서울: 인물과사상사, 2010: 5-8.

전문가 들은 늘어 났지만 문제는 더 많아 졌고, 약은 많아 졌지만 건강은 더 나빠졌다.

너무 분별없이 소비하고 너무 적게 웃고, 너무 빨리 운전하고,

너무 성급히 화를 낸다.

너무 많이 마시고 너무 많이 피우며 너무 늦게까지 깨어 있고

너무 지쳐서 일어나며 너무 적게 책을 읽고, 텔레비전은 너무 많이 본다.

가진 것은 몇배가 되었지만 가치는 더 줄어들었다.

말은 너무 많이 하고, 사랑은 적게 하며, 너무 자주 증오한다.

돈을 벌어 생활하는 건 배웠지만, 인생을 배우진 못했다.

수명은 늘어났지만, 시간 속에 삶의 의미를 부여하는 방법은 잃어 버렸다.

달에 갔다 왔지만, 길을 건너가 이웃을 만나기는 더 힘들어졌다.

공기 정화기는 갖고 있지만 영혼은 더 오염되었고, 원자는 쪼갤 수 있지만, 편견을 부수지는 못한다.

서두르는 것은 배웠지만 기다리는 법을 배우지 못했고, 자유는 더 늘었지만 열정은 더 줄어들었다.

키는 커졌지만 인품은 왜소해지고, 이익은 더 많이 추구하지만 관계는 더 나빠졌다.

세계 평화를 더 많이 얘기하지만 전쟁은 더 많아지고, 여가 시간은 늘어났지만 기쁨은 줄어들었다.

수많은 컴퓨터를 이용해서 더 많은 정보를 얻지만, 소통은 더 줄어 들었다.

아는 사람은 늘어났지만, 친구는 줄어 들었다.

더 빨라진 고속철도, 더 편리한 일회용 기저귀, 더 많은 광고 전단, 그리고 더 줄어든 양심, 쾌락을 느끼게 하는 더 많은 약들, 그리고 더 느끼기 어려워진 행복.

쇼윈도우에는 수많은 상품들이 전시되어 있지만, 창고에는 아무것도 남아 있지 않은 시대.

기억하라, 사랑하는 사람과 함께하라, 영원히 주위에 머물지 않을 것이기에.

기억하라, 당신을 존경하는 사람에게 친절하게 대하라, 그 작은 사람은 곧 성장해서 당신 곁을 떠날 것이기 때문이다.

기억하라, 당신의 옆 사람을 따뜻하게 안아주어라, 이것은 당신의 마음을 타인에게 전달 할 수 있는 유일한 보물이다. 그리고 안아주는 것은 돈이 필요 없다.

기억하라, 당신의 동료나 사랑하는 사람에게 "사랑한다" 는 말을 하라, 진심으로. 당신의 깊은 내면에서 나오는 포옹은 상처를 치료해줄 것이다.

기억하라, 서로를 격려하고 다시는 오지 않을 날을 대비하여 매순간을 소중히 하라.

사랑할 시간을 가지고, 대화할 시간을 가지고, 당신의 마음에 소중한 생각들을 나눌 시간을 가지도록 하라.

기술이 발전하고 세상이 발전할수록 행복해져야 할 것 같은데 실상은 그렇지 못하다. 물질적으로는 풍족해졌더라도 그것이 행복으로 귀결되지 못하기 때문이다.

우리 시대의 역설이다. '돈으로 살 수 있는 것과 없는 것' 이라는 글이 있다(피터 리브즈(Peter Lives): 미국 신학자, 작가).

돈으로 사람(person)을 살 수는 있으나 그 사람의 마음(spirit)을 살 수는 없다.

돈으로 호화로운 집(house)을 살 수 있어도, 행복한 가정(home)은 살 수 없다.

돈으로 최고 좋은 침대(bed)는 살 수 있어도, 달콤한 잠(sleep)은 살 수 없다.

돈으로 시계(clock)는 살 수 있어도, 시간(time)은 살 수 없다.

돈으로 지위(position)는 살 수 있어도, 가슴에서 우러나오는 존경(respect)은 살 수 없다.

돈으로 책(book)은 살 수 있어도, 지혜(wisdom)는 살 수 없다.

돈으로 맛있는 음식(food)은 살 수 있지만, 마음이 동하는 식욕(appetite)은 살 수 없다.

돈으로 섹스(sex)는 살 수 있어도, 진정한 사랑(love)은 살 수 없다.

돈으로 쾌락(pleasure)은 살 수 있으나, 마음속 깊은 곳의 기쁨(delight)은 살 수 없다.

돈으로 화려한 옷(clothes)은 살 수 있으나, 내면의 아름다움(beauty)을 살 수는 없다.

돈이 있으면 성대한 장례식(funeral)을 치를 수 있지만, 행복한 죽음(glorious death)은 살 수 없다.

돈으로 종교(religion)는 얻을 수 있으나 소망하는 구원(slavation)은 얻을 수 없다.

돈으로 미인(beauty)을 살수는 있으나, 정신적인 평화로움(stability)은 살 수 없다.

돈으로 사치(luxury)를 꾸리면 살수는 있으나, 전통어린 문화(culture)를 살수는 없다.

돈은 일상생활에 절대 필요하고 편리한 수단이지만 어디까지나 생활의 수단이지 인생의 목적은 결코 아니다.

돈은 인간에게 꼭 필요한 것이다. 그러나 돈만 가지고는 인생에서 가장 가치 있고 진정으로 만족스러운 것은 살 수 없다. 진정한 행복은 물질이 아니라 마음에서 온다.

누구나 현재 안에 생애의 모든 단계를 함축하고 있다. 어른들도 아이의 놀이충동이나 유치한 심성을 종종 드러낸다. 노인이 되어서도 사춘기의 셀렘(selloum)이나 질풍노도에 휩싸인다. 그런가 하면 젊은이라 할지라도 어느 날 문득 인생의 내리막길 도는 종말이 다다른 듯한 상황에 부딪힌다. 한 세대의 현존은 다른 세대의 발자취이거나 가능성이다. 지금 이 순간에 수많은 사람들의 일생을 경험하거나 상상할 수 있다면, 그만큼 존재의 부피가 커질 것이다. 다른 삶에 대 관심을 통해서 자기 삶을 새롭게 해석하면서 향후 생애경로를 폭넓게 구상할 수 있다.

"최소한 지금은 살아 있고 싶어" 「부에나비스타 소셜 클럽(Buena Vista Social Club)」에서 생을 달관한 듯한 표정과 노래로 관객을 사로잡았던 이브라임 페레르(Ibrahim Ferrer)의 이 독백은 우리 모두의 소망이다. 만성적인 두려움과 공허감에서 풀려나 자아에 대해 너그러워지고 싶다. 그렇게 되기 위해서는 삶을 보다 폭넓고 심오하게 바라보는 시야가 필요하다. 자기 안에 깃들어 있는 수많은 삶들을 발견해야 한다.16)

> "We' ve learned how to make aliving, but not a life. We' ve added years to life not life to years."
>
> 우리는 생활비를 버는 법은 배웠지만 어떻게 살 것인가는 배우지 못했다. 우리의 수명은 늘었지만 시간 속에 생기를 불어넣지는 못하고 있다.

---

16) 김찬호. 생애의 발견, 서울: 인물과사상사, 2010: 9.

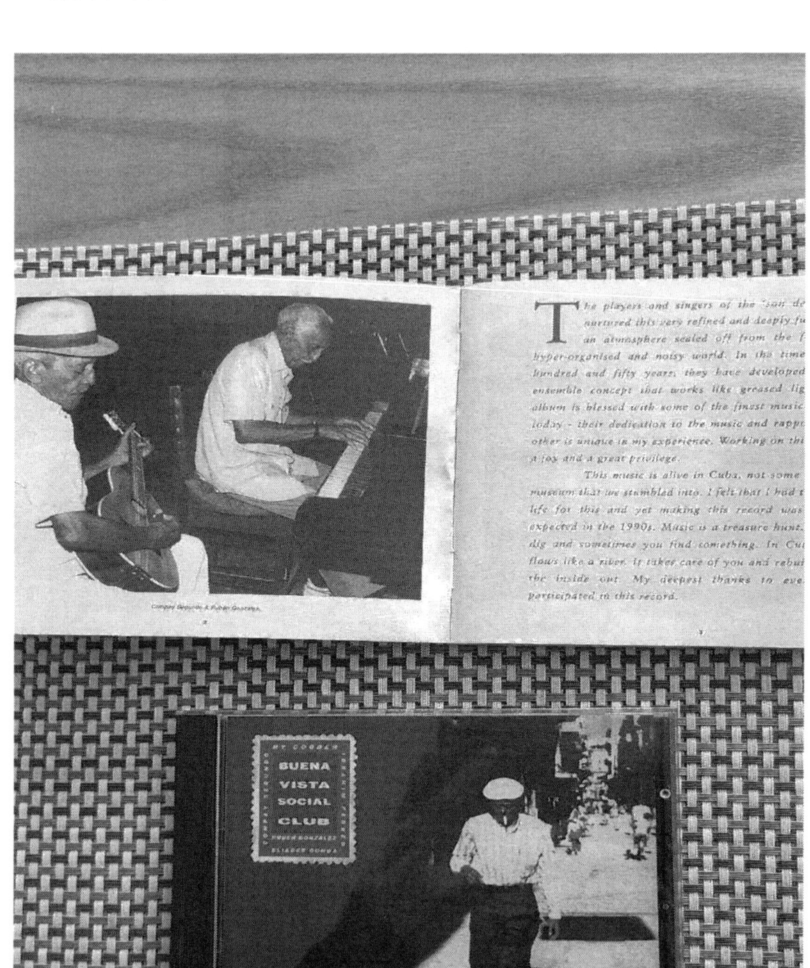
BUENA
VISTA
SOCIAL
CLUB

Ⅱ. 나는

나는 1951년 음력 11월 30일 홍제동 외갓집에서 태어났다. 1958년 3월 8살 되던 해 명주국민학교에 입학하여 1962년 강릉국민학교로 전학, 1964년 2월에 졸업, 1964년 3월 경포중학교에 입학하여 1967년 2월 졸업, 1967년 3월 강릉고등학교에 입학하여 1970년 2월 졸업, 1970년 3월 강원대학교 체육교육과에 입학하여 1974년 군입대 1976년 제대, 1977년 3월 복학. 1978년 2월 졸업.

1978년 3월 고성중・고등학교 초임 발령, 1980년 강릉중학교 근무, 1989년 가곡고등학교 근무, 1993년 원덕고등학교 근무, 1995년 여량고등학교 근무, 2001년 원덕중학교 교감 근무, 2004년 동명중학교 교감 근무, 2006년 임계중고등학교 교장 근무, 2012년 도계전산정보고등학교 교장 근무.

1979년 3월 강원대학교 교육대학원 입학, 1982년 2월 교육학석사 졸업, 2008년 2월 강원대학교스포츠과학 대학원 박사과정 입학, 2011년 8월 31일 스포츠과학 박사 졸업, 2001년부터 2013년 2월까지 학교 관리자 교감・교장 역임, 2013년 2월 28일 퇴직하였다.

1. 유아기(幼兒期, infancy)[17]

내가 아주 어렸을 때 맨 먼저 어렴풋이 기억나는 것은 5~6살쯤 강릉시 홍제동 '골말' 이라는 동네에 살았다는 거다. 골말이라는 동네는 강릉초등학교 뒤쪽 홍제동 178-4에 위치하고 있었는데, 지금도 강원특별자치도 강릉시 골말길 36번길로 호칭하고 있다.

초가집으로 방은 세 칸 정도로 앞마당 앞에 장독대가 놓여 있었다. 어머니의 추상같은 엄포(?)로 혼자서 마당과 방을 왔다갔다 하면서 소꿉장난을 한 듯하다.

아침 일찍 어머니는 나를 홀로 놔두고 어디론가 가셨다. 나중에 알게 되었는데 포남동 최씨라는 부자집에 식모살이(食母; 남의 집에서 품삯을 받으며 주로 부엌일을 맡아 함)다녔다고 한다.

최부자 일가는 그 당시 강릉에서 손꼽이는 부자였다. 포남동 일대 논과 밭 대부분을 소유했고, 신영극장, 서일상회, 큰 쌀가게 그리고 황지에 탄광 등 강릉 최고 부자 홍제동의 최준집 일가와 재산이 엇비슷할 정도였다.

---

17) 만 1세 이후 약 6년을 유아기라고 부른다. 이 시기의 신체적 발육은 비교적 안정권에 들어서는 반면 정신적 발달은 급성장한다. 운동면에서는 어른이 할 수 있는 기본 동작은 대체로 가능하지만 미세한 손동작 등은 아직 미숙한 상태이다

후일 엿들은 이야기지만 은혜에서 악연으로 이어지는 최부자 일가와 외갓집 원씨 일가와의 만남을 살펴보기로 한다.

외할아버지 원용선과 외할머니 최태원은 경기도 동남단에 위치한 여주 이천(利川) 분이셨다.

외조부(外祖父) 원용선은 대대로 농업에 종사해 온 평범한 가정에서 태어나셨고, 외조모(外祖母) 최태원은 양조장(釀造場; 술, 간장, 식초 등을 만드는 공장) 운영하고 있는 상당히 부유한 가정의 외동딸로 성장했다.

두 분은 같은 마을에 사셨는데 정분(情分)이 난 관계로 더 이상 고향에서 살 수가 없게 되었다. 그 당시 법도(法度; 생활상의 예법과 제도)로는 두 분은 결혼할 상황이 아니었다. 빈부의 격차로 불가능했기 때문이다.

그러한 분위기에서 1928년 초 덜컥 어머니를 임신하게 되었다. 명석말이[18] 당하는 게 뻔한 지경에 이르러 두 분은 가을 어느 날 야밤도주(남의 눈을 피하여 한밤중에 도망함)[19]를 시도했다.

경기도 이천에서 도보로 그야말로 산을 넘고 물을 건너 열흘 정도 걷다가 도착한 곳이 바로 강릉이라는 곳이었다. 이곳에서 처음 시작한 일은 최부자 집에서 외조부는 머슴[20]으로 외조모는 부엌살이[21]를 했다. 최부자집은 그 당시 머슴과 식모살이하는 사람이 각각 열명 정도 기거하고 있었다. 외할아버지는 근면 성실했으며, 외

---

18) 조선시대에 있었던 사형(私刑)으로 사람을 멍석으로 돌돌 만 다음 후려패는 벌이다.

19) 규범 표기는 '야반도주(夜半逃走; 남의 눈을 피하여 밤사이에 도망함)' 이다.

20) 이전에, 부농이나 지주에게 고용되어 그 집의 농사일이나 잡일을 해 주고 품삯을 받는 사내를 이르던 말.

21) 남의 집에서 품삯을 받으며 주로 부엌일을 맡아 함.

할머니는 대갓(大家)집 태생이라 음식 솜씨가 뛰어나 최부자집 주인 마님한테 상당한 신임을 받았다고 한다. 그리고 그해 9월 어머니가 탄생하셨다. 최부자집에서 3년 정도 생활했다고 한다.

머슴·식모살이 임금(賃金)을 세경(?)이라고 했는데, 최부자집은 그 세경을 주지 않고 일하는 값으로 밥먹여 주고, 잠재워주는 것으로 대처하고 있었다. 꽁보리밥에 나물 반찬이라도 세끼 먹는 것으로도 감지덕지(感之德之)하던 시절이었다.

그러던 어느 날 강릉시 교동 지부자집에서 세경을 조금이라도 준다는 소식을 듣고 몇 명과 함께 그곳으로 외조부와 외조모, 모친은 소위 직장(?)을 옮겼다. 지부자 집은 교동 일대의 논과 밭, 산야 등 상당한 재산을 지닌 부호였다.

그 사이 이모 원동옥이 탄생하게 된다. 그곳에서 2년동안 모은 세경으로 강릉시 홍제동 1001번지, 지금 시청이 들어선 자리에 밭을 구입하고 초가집을 지어 처음으로 독립하게 된다.

홍제동에서 화전(火田; 원시적 농사 방법의 하나로 주로 산에 있는 초목에 불을 지르고 그 자리를 파 일구어 농사를 짓는 밭)으로 농토를 일궈가면서 외조부, 외조모, 모친, 이모 함께 나름대로 행복을 살고 있었다.

세월은 흘러 1945년[22][23] 해방되던 해 모친의 연세는 14세, 이모 6세, 외삼촌 2세 정도로 추정된다.

몇 년이 지난 뒤 모친이 16세 쯤 되던 해에 서일상회를 운영하는 최부자 일가의 만형에게서 연락이 왔다. 양양 할머니집을 관리해달라는 것이었다. 양양 할머니는 양양군 양양 사람으로 그 만형의 첩이었다. 결국 따지고 보면 양양집 할머니를 봉양하면서 관리하는 것이었다.

세월이 흘러 내가 초등학교 다닐 때 모친은 불교를 열심히 믿었는데, 포교당 뒤편에 양양 할머니집이 있었다. 매주 일요일 모친이 포교당에 성불하러 가는 길에 양양 할머니에게 문안 인사를 하곤 했는데, 그럴 때마다 양양집을 구경시켜 주었다. 큰 부근 기와집에 방이 다섯 칸 정도에 마당이 넓었으며, 화초가 만발했으며 칠면조도 키우고 있었다. 칠면조는 귀한 시절이었기에 참 신기한 낌을 받았다.

양양 할머니를 만나본 그때의 느낌은 키는 작은 편이였으며, 다소곳한 예쁜 할머니였으며, 말소리도 양양 말투라 고왔다. 점심을 내오는 음식은 난생처음 먹어보는 귀한 것이었다.

그렇게 1948년부터 그곳에서 할머니를 모시고 숙박을 하게 되었다. 어렵잖게 생활하는 과정에서 1950년 6월 25일 '6·25전쟁'[24]

---

22) 1945년은 월요일로 시작하는 평년이다. 1945년은 제2차 세계대전의 종결과 나치 독일과 일본 제국의 멸망을 의미했다. 또한 강제 수용소가 해방된 해이자 전투에서 핵무기가 사용된 유일한 해이기도 하다.

23) 일제에서 국권을 회복한 날을 기념하는 국경일. 1945년 8월 15일 잃었던 국권을 회복하고 1948년 8월 15일 대한민국의 정부수립을 경축하며 독립정신의 계승을 통한 국가발전을 다짐하기 위하여 1949년 제정되었다. 이날 정부 및 지방자치단체 주관 하에 다채로운 광복절 기념행사가 전국적으로 펼쳐지며, 서울 보신각에서는 타종행사가 열린다.

이 발발하였다.

국제연합군과 한국 해병대의 인천상륙작전 성공 이후 한국군과 UN군이 38° 선을 돌파, 북진을 계속하여 서부전선은 평안북도 운산에서 초산북방 압록강변까지, 동부전선은 함경남도 풍산 남방까지 진출하여 통일을 눈앞에 두고 있는 듯했다. 그러나 중국인민지원군은 1950년 10월 19일 아무런 발표 없이 압록강을 건너 전쟁에 개입하기 시작했고, 11월 국군과 UN군에 대대적인 반격을 취했다.

이 공세에 국군과 UN군은 12월 4일 평양, 12월 24일 흥남에서 철수했고 12월말에는 38° 선 이북을 완전히 중국인민지원군에게 넘겨주고 말았다. 이후 북한인민군과 중국인민지원군의 계속적인 공세로 서울방어가 어렵게 되었다. 이에 미8군 사령관 M.B. 리지웨이(Matthew Bunker Ridgway) 중장은 서울에서 철수를 결정했다. 곧이어 한국 정부는 부산으로 철수했고, 1월 4일 서울은 중국인민지원군에게 장악되었다. 그러나 국군과 UN군의 반격으로 3월 18일 서울은 재탈환되었다.

결국 백두산까지 치고 올라갔던 연합군의 등등한 기세가 중공군에 의해 맥없이 꺾이면서 1951년 1월 4일 서울은 다시 적의 수중에 떨어졌다. 치욕의 1 · 4 후퇴이다. 1951년 3월 15일 재탈환 때까지 서울은 '붉은 완장'에 의해 재장악됐다

---

24) 6 · 25전쟁(Korean War , 六二五戰爭, 6 · 25 사변, 한국전쟁, 韓國戰爭)은 국제적으로는 한국 전쟁이라 불린다. 소련의 지원으로 군사력을 키운 북한이 38 ° 선 전역에서 남침하여 3일 만에 서울을 점령하였다. 국군은 북한의 앞선 병력과 무기에 밀려 한 달 만에 낙동강 부근까지 후퇴하였다. 이어 미국 주도로 유엔 안전 보장 이사회가 열려 유엔군이 파병되었다. 유엔군의 9월 15일 인천 상륙 작전의 성공으로 서울을 되찾고 압록강까지 진격하였다. 하지만 북한의 요청으로 중국군이 개입하자 다시 서울을 빼앗겼다. 1953년 7월 27일 휴전 협정이 체결될 때까지 전투가 계속되었다. 3년 동안의 전쟁으로 인명 피해가 약 450만 명에 달하고, 남한의 43%의 산업 시설과 33%의 주택이 파괴되었다. 남북한은 휴전 상태로 오늘에 이르고 있다.

가. 만남

1·4후퇴(一四後退; 6·25전쟁 중인 1951년 1월 4일 중국인민지원군의 개입으로 한국 정부가 서울에서 철수한 일) 즈음 국군이 인민군에게 밀려 남쪽으로 후퇴를 하는 과정에서부터 나의 삶의 역사가 시작되는 시발점이 된다.

최부자집은 물론이고 양양 할머니도 모든 시민들과 함께 1·4후퇴로 남쪽으로 내려갔으나 모친은 양양 할머니 집을 지키고 있었다.

어느 날 어머니 혼자 집을 지키고 있는데, 저녁 무렵 국방군[25] 한 명이 숨을 헐떡거리며 그 양양 할머니집으로 급히 뛰어 들어왔다. 들어오면서 어머니를 보자 급이 하는 말이 “나 좀 숨겨주세요. 인민군에게 쫓기고 있어요.”

이때 어머니는 순간적으로 불을 때지 않는 큰 아궁이 속에다 그 군인을 숨기고 대문을 닫는 순간 인민군 세 명이 들이닥치며 “국방군 새끼 어디로 갔어” 하며 어머니의 배를 걷어차며 위협을 했다. 위기일발(危機一髮; 조금 마음을 놓을 수 없는 절박한 순간) 상황에서 뒤로 넘어진 상태에서 오른쪽 담을 가리키며 “저쪽” 하며 포교당 쪽을 가리켰다. 인민군들은 빙과 부엌, 집 뒤쪽 능 온 집을 샅샅이 확인한 후 돌아갔다. 그들이 돌아간 후 대문을 이중으로 잠그고 그 국방군을 다락방에다 숨겼다.

그런 주로 다락방 생활을 하다 한 달 정도 후 주위가 잠잠해지

---

25) 그 당시 우리 군인을 국방군, 북한 군인을 인민군으로 호칭했다.

자 그 국방군은 양양에 주둔하고 있는 부대로 복귀하였다.

3월경 피난 떠나 있던 최부자집 일가도 돌아오고 양양 할머니도 집으로 돌아와 일상적인 생활을 하였다. 부대로 복귀한 그 국방군은 대대장에게 복귀 신고를 하는 과정에서 살아남을 수 있었던 경위를 소상히 보고했다. 그 과정에서 '생명의 은인이니 평생 은혜를 갚는다' 는 마음으로 같이 살아야 한다고 명령(?)했다.

대대장의 명령 아닌 명령을 받고 어머니를 모시고 가서 연대장의 주례 하에 군부대에서 조촐한 결혼식을 올렸다. 전쟁 중이라 양가 부모님을 모시는 일을 엄두도 못내고, 알리는 것조차 불가능한 시절이라 부대 장병들과 함께 결혼 형식만 취할 뿐이었다.

세월이 흘러 내가 50대 후반 방학 때 어머니를 모시고 설악산 단풍 구경 가는 길에 그 국방군과 사시던 고성군 토성면 아야진리 산 중턱 장소를 기억하고 계셨다. 차를 세우고 한참 동안 바라본 그곳은 집은 존재하지는 않았지만 흔적은 남아 있었다.

그 국방군(國防軍; 나라를 지키기 위하여 정부가 창설한 군대)은 수송부 특무상사(特務上士; 예전에, 준위와 일등 상사의 중간에 있던 계급.

주로 부하의 인사에 관한 서무를 관장하였다)였는데, 1·4후퇴 후 부대로 복귀하면서 그동안의 공로를 인정받아 중대장으로 진급하여 중대원을 지휘하였다.

Daum카페, 육군본부, 2007. 10. 21.

낙동강 혈전을 1사단 노병들이 증언하는 다부동 전투 "그때", 다부동 방어선을 말하다.

"참으로 수많은 젊은 생명이 다부동 전투에서 쓰러졌다. 신병이 와서 이틀 정도 버티면 고참병이 되는 식이었다. 총탄과 수류탄을 날리는 싸움이 중심이었으나 직접 적과 몸으로 부딪치는 백병전도 자주 벌였다. 특히 비 오는 밤, 아주 컴컴한 어둠 속에서 돌연 나타나는 적들과 백병진을 벌이면서 찌르고 때리는 싸움이 처절하게 벌어졌다. 그렇게 싸우면서 '한민족은 결코 스러지지 않는 강인한 민족'일 것이라는 생각을 했다. 다부동 전투는 대한민국이라는 나라의 국운(國運)이 걸렸던 싸움이다. 길이 역사에 남겨야 하는 이유다. 싸움을 하면서 우리 부대원들에게는 처참한 동족상잔의 참극을 일으킨 김일성에 대한 증오가 가장 컸다." 1사단 15연대 2대대 6중대장 김국주(예비역 소장 · 전 광복회 회장) 대위.

"다부동 격전이 지난 뒤 고지를 오르는데 정말 숨을 쉴 수가 없었다. 너무 많은 주검들이 풍겨내는 냄새 때문이었다. 이때 처음 미군으로부터 건네받은 화염방사기를 써봤다. 효과가 괜찮았던 것으로 기억한다. 지금도 내 가슴 속에 남아 있는 장면이 있다. 재일동포 부대원이었다. 공격을 시도하고 있던 순간에 그가 총에 맞았다. 그는 그 자리에서 꼼짝 않고 있었는데, 나를 보면서 "중대장님, 먼저 갑니다" 면서 쓰러졌다. 웃는 얼굴이었다. 조국을 지키기 위해 대한해협을 넘어온 재일동포 청년의 마지막 웃음은 내게 영원히 지워지지 않는 모습으로 남아 있다." 12연대 1대대 3중대장 전자열(예비역 소장) 대위).

신혼살림은 부대와 가까운 양양군 양양읍 송암리 산 중턱에 위치한 조그만 오두막집에서 출발하였다. 나무로 밥을 해 먹던 시절이었고, 빨래, 식수 등 물을 공급해야 하는 우물까지 거리는 상당히 멀어 고생을 많이 했다고 한다. 하지만 두 사람의 신혼생활의 결과로 김해동(金海東)이가 음력 1951년 11월 30일 탄생하게 된다.

아버지 김복동, 어머니 원우진, 아들 김해동으로 한 가족을 이루게 된다. 한 2년쯤 살다가 1953년 9월 18일 양양군 송암리에서 창설된 육군 제27보병사단(이기자 부대)부대로 이동하면서 김해동 즉, 나는 어머니와 함께 강릉시 홍제동 외갓집으로 주거지를 옮기게 된다.

1953년 국군의 모습

6·25전쟁을 전후해 강원 양양군과 강릉시에서 창설한 2개 군단과 1개 여단, 9개 사단의 창설 기념식이 육군 제8군단 주관하에 4일 양양군 강현면 육군 제102기갑여단 앞 계류지에서 열린 가운데 육군 장병들이 1953년 9월 18일 양양군 송암리에서 창설된 육군 제27보병사단(이기자 부대)의 사단 창설식을 재연하고 있다.[26]

26) 김경목. 1953년 국군의 모습, 뉴시스, 2014. 10. 04.

나. 외갓집 생활

1953년 7월 27일 휴전 협정 후까지 아버지와 어머니 그리고 나와 함께 살다가 1953년 9월 18일을 기점으로 헤어져 살게 되었다.

외갓집은 흙과 볏짚을 섞고, 드문드문 수수깽이를 넣어 빚어서 지은 흙집이었다. 지붕은 볏짚으로 덮은 초가집으로 방은 세 칸, 마구간, 정낭(변소), 마당이 20평 정도로 언덕 비탈에 솟아 있었는데, 대문 쪽에 큰 오동나무 한 그루가 떡하니 버티고 있었다. 집 왼쪽에는 울창한 덤불 숲이 보였고, 마당에는 자두나무, 감나무, 복숭아 나무 등이 있었다. 집에서 30m 떨어진 곳에 꽤 큰 우물이 있었다. 우리 이웃집들 주변으로는 넓은 공터가 있었다. 오른쪽 건너편 산 쪽에는 밤나무가 10그루 정도가 있었다.

Daum 카페. 세월 그것은...2011. 10. 29.

아버지는 외출이나 휴가 때 내가 살고 있는 외갓집에 들리곤 했다. 그 당시 아버지가 찍어놓은 흑백사진(백일, 돌사진 등)들이 몇 장 있었는데 고성 산불 사건 때 모두 사라져버렸다. 아버지 관련 사진은 어머니가 모두 불태워버렸다.

내가 4살쯤 되었을 때 획기적인 사건으로 영원히 아버지와 이별하는 일이 벌어졌다. 그 내용은 다음과 같이 정리할 수 있다.

1954년 3월 아버지는 전방부대로 전출을 가게 되었다. 그래서 아버지 부관한테서 연락이 왔다. 어머니와 함께 가기 위해 모월 모일 몇 시까지 외갓집 건너편 공공묘지 앞에서 만나기로 약속을 정했다. 약속 날짜에 맞추어 만반에 준비를 하고 있었다. 문제는 출발하는 날 새벽에 발생하였다. 새벽에 일어나 앞마당에 널어놓은 나의 옷가지, 기저귀 등이 챙기려는 데 몽땅 사라진 것이었다. 그래서 허둥지둥 의심나는 사람들이 사는 동네를 돌아다니며 찾으려고 했으니 허사였다. 사실 마을에는 몇 집에 거주하고 있지는 않았지만 대개 집과 집 사이의 평균 거리는 50m이상이었다. 허탈한 마음으로 집으로 돌아왔으나 아버지 부관 찝차((jeep車; 지프차; 사륜구동으로 된 소형 자동차)는 출발한 상태였다.

CBS노컷뉴스. 2016. 5. 16. 랭글러, 김학일(피아트 랭글러 (사진=피아트 크라이슬러 코리아 제공)

그 전에 부대에서 이런 일도 있었다. 양양읍 송암리에 신혼살림을 할 때 뭔가 괴로워하는 아버지의 속마음을 알기 위해 부관한테 집요하게 물어본 결과 경기도 여주에 사는 아버지 본가에서 중매로 맞선을 보라는 독촉 때문이라는 이야기도 들은 적이 있었다.

하지만 어머니는 개의치 않았다. 아들 하나를 생성했으며, 정 문제가 되면 아들 하나 키우면서 살겠다는 안일한 생각으로. 그렇지만 아버지의 고민은 본가의 중매는 집안끼리의 적정한 수준의 문제였다. 아버지의 집안은 부유층이었고, 아버지의 학력도 배울 만큼 배웠고, 상대 여자 역시 비슷한 경우라고 생각된다. 이에 비해 어머니는 초등학교 졸업한 농사꾼의 자식이니. 어쩌면 아버지의 실리적인 계산 속에서의 고민이랄까.

이러한 여러 정황에 의해 영원히 만날 수 없는 부부와 부자의 사연이 발생한 것이다. 그래서 어쩔 수 없이 내가 4살까지 외갓집에 살다가 5~6살쯤 강릉시 홍제동 '골말' 이라는 동네에 살게 된 것이다. 그 골말 동네에 사는 동안 귀를 잘못 건드려 남의 말소리를 듣는 데 약간 불편함이 있었는 듯한 기억이 있다.

내가 7살 때 어쩔 수 없는 환경과 여건에 어쩔 수 없이 어머니와 나는 외갓집으로 다시 돌아갈 수밖에 없었다.

외갓집에서 생활하면서 모든 것이 아름다운 빛깔로 빛나고 있다. 그 당시 외할아버지 47세, 외할머니 45세, 어머니 27세, 이모 17세, 외삼촌 10살, 나는 7살 정도였다.

외갓집을 중심으로 나와 각자의 인생의 삶이 시작되었다. 외할아버지와 외할머니는 농사를 지으면서 계속 화전(火田; 원시적 농사 방법의 하나로 주로 산에 있는 초목에 불을 지르고 그 자리를 파 일구어 농사를 짓는 밭)을 했으며, 어머니는 나를 키우면서 농사일을 도왔다.

당시는 가난이 무엇인지도 모르며 힘겹게 살아온 우리들. 누더기 옷에 굶주림에 살았어도 따스한 온정이 흐르던 시절이었다. 추운 겨울 냉기가 감도는 방에서 나와 따듯한 햇볕에서 늘 언 몸을 녹이곤 했다. 헤진 옷을 입고 살아도 다들 그렇게 사니 부끄러움이 먼지도 모르고 자랐다. 세상에서 제일 좋은 어머니…. 추운 겨울 양말이 없어 맨말이 시려도 어머니 등에 업히면 엄마 품에서는 나는 젖내음과 따듯하고 포금함은 지금도 잊을 수가 없었다. 소 외양간에 창을 만들어 소 여물을 먹이는 모습이 정겹다. 소가 재산목록 1호였으며 소는 늘 따근하게 소죽을 끓여서 주곤했지. 두메산골 추운 겨울을 나기 위해 월동 준비를 해놓은 장작더미 앞의 초라한 모습과 천진난만한 표정이 생각나게 만든다. 겨우살이를 위해 준비해 둔 옥수수와 산골의 가정의 풍경이다. 옥수수 고구마나 감자 무우밥 등으로 연명하며 겨울나기를 했지. 청군이겨라! 백군 이겨라! 목청 터지게 소리치고 나면 다음 날은 모두가 목이 쉬어, 지금의 운동회는 점심시간 지나면 끝이지만 당시는 하루종일 온마을 잔치로 해가 질 때까지 했지. 당시 1원부터 제일 큰돈 500원까지이다. 제일먹고 싶었던 것은 라면 한 봉 끓여먹는 것 하고, 뽀빠이 한 봉 사먹는 재미가 너무나 좋았다. 옛날 우리들 모습은 정말 아름다웠다.

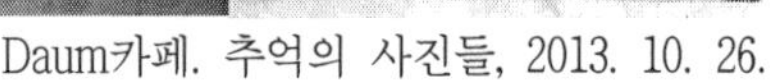

Daum카페. 추억의 사진들, 2013. 10. 26.

이모는 초등학교를 졸업하고, 미용(美容) 기술을 배우기 위해 미용소(美容所; 파마, 커트, 화장, 그 밖의 미용술을 실시하여 주로 여성의 용모, 두발, 외모 따위를 단정하고 아름답게 해 주는 것을 전문으로 하는 집)에, 외삼촌은 초등학교를 졸업하고, 이용(理容) 기술을 배우기 위해 이발소(理髮所; 주로 남자의 머리털을 깎고 다듬는 일을 영업으로 하는 일정한 시설을 갖춘 곳)에 다니고 있었다.

네이버블로그(2024. 04 .02)

그 당시 이발 기술을 배우는 게 쉽지 않았다. 3개월 동안은 기술을 배울려고 하는 이발소 분위기를 알기 위하여 청소하기, 이발 기구 정리하기, 수건 등 세탁하기 등을 해야 했다. 그리고 6개월 동안 머리깍는 기계로 조금씩 조금씩 익혀나갔다. 머리깍기 기술 처음에는 빡빡머리(머리카락이 하나도 없게 빡빡 깎은 머리) 깍기이다.

그리고는 가위질 연습으로 했다. 손에 힘을 길러야 하기 때문에 쉬임없이 연습을 해야 했다. 물집이 생겨 터질 때까지. 그 다음은 면도하는 기술을 차근차근 배워야 했다. 이러기를 2~3년이 지나야 주인 입회 아래 첫 손님을 맞이하게 된다. 어린 나이부터 시작해야 하는 쉽지 않은 이발 기술이었다.

다. 원기소

나이가 들면서 영양제에 관심이 커진다. 대부분 알파벳으로 되어 있는 영양제들이다. 화학 시간에 배웠던 원소 기호들이 많은데 이름이 너무 어렵다. 이름도 이름이지만 그 많은 영양제를 언제 다 먹나 하고 한숨이 나온다. 한 알 안에 현대인들의 필수 영양소가 다 들어간 제품이 나오면 좋겠다. 영양제만 챙겨 먹어도 배가 부를 지경이다.

예전엔 영양제란 개념이 없었다. 나는 어머니가 몸이 허하면 안 된다고 보약을 많이 먹였다. 대신 몸이 허하면 보약을 지어 먹었다. 그 보약을 매번 집에서 달였다. 주전자같은 약탕기에 종일 약재를 달였다. 약재를 달이는 날엔 집안 곳곳에 한약 냄새가 배었다. 그 한약을 달이고 누런 삼베 헝겊에 비틀어 짜던 장면이 눈에 선하다.

한약은 쓰디썼다. 그 약을 먹는 건 내게 큰 고통이었다. 아프면 먹는 거라 아파도 안 아픈 척했다. 양약이 별로 없던 시절이다. 한지에 하나하나 싼 약제들, 그 약재를 약탕기에 넣고 석유곤로에 온종일 앉아서 달이던 정성, 그 정성에서 병이 나은 것같다. 아직도 그 한약 달이던 냄새가 코에 스치는 듯하다.

또 아주 어린 시절에 있었던 보양제로 기억나는 게 있다. 이름이 참 담백하다. 북한 약 이름 같기도 한 '원기소' 다. 으뜸으로 기를 보충해주는 영양소란 뜻이다.

이 영양제는 우선 맛이 있었다. 너덧 개 정도를 한꺼번에 먹었는데, 이름 그대로였다. 원기소만 먹으면 힘이 솟는 듯 했다. 밥맛도 더 났던 것 같다. 감기에 걸리거나 배가 아프면 몇 개쯤 더 먹을 수 있었다. 그래서 일부러 이걸 얻어먹기 위해 머리가 아프다고 꾀병을 부리기도 했다.

어릴 때 원기소 한 알만 먹어도 기운이 펄펄 났다. 말만 들어도 기운이 펄펄 나는 이름, 원기소. 지금이라도 원기소 한 알만 먹으면 기력을 보충할 수 있을 것 같다.[27]

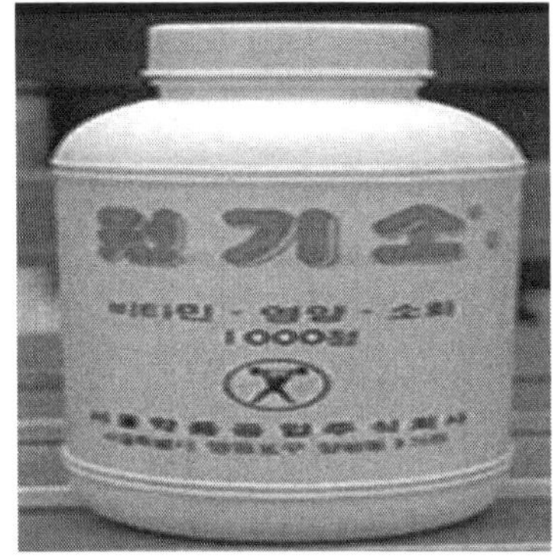

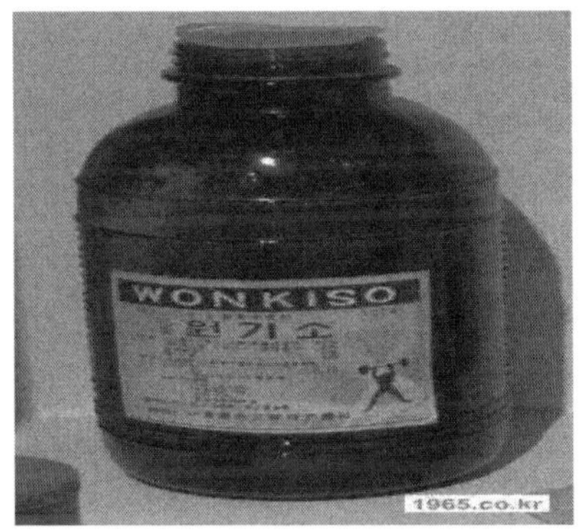

국민영양제로 인기를 끌었던 원기소가 시장에서 완전히 퇴출된다. 식품의약품안전처는 항생제, 비타민제, 자양강장변질제 등 9개 분류군 6천736개 품목을 재평가한 결과 서울약품공업의 원기소 등 26개 품목은 유용성이 인정되지 않아 시판을 금지한다고 밝혔다.

유용성이 인정되지 않은 26개 품목은 허가받은 효능·효과, 용법·용량 등에 대한 안전성이나 유효성을 입증할 수 있는 충분한 자료가 제출되지 않은 것으로, 재평가 공시일로부터 회수, 폐기된다.

---

27) 허윤숙. 달고나와 이발소 그림, 경기: 시간여행, 2022: 191.

원기소는 주원료인 효모와 소화효소제에 각종 미네랄과 비타민을 넣은 영양제다. 1960년대부터 본격적으로 판매하기 시작했으며 부잣집 아이들이 주로 먹는 어린이 영양제의 대명사로 통했다.

1980년대 중반 당시 제조사였던 서울약품이 부도를 맞아 생산이 중단되었다 다시 시중에 등장한 건 2005년 서울약품공업(현 서울약품)이라는 회사가 설립되면서부터다.

실제 이번에 시판 금지된 원기소의 경우 서울약품공업의 제품이다. 서울약품공업은 이미 오랜 기간 상업적인 활동을 하지 않아 의약품 재평가를 받지 않은 것으로 전해진다. 일반의약품 원기소 역시 오래전 생산이 중단된 품목이다.[28]

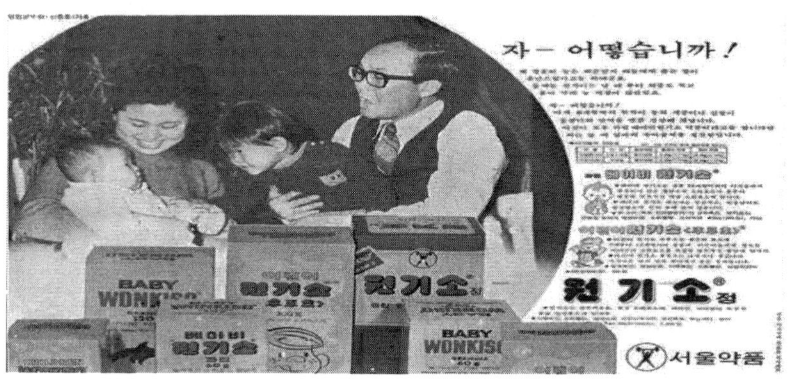

원기약한 얼라에겐 원기소를 사먹이고, 기떨어진 아그에겐 에비오제 먹게 하신 소중하신 부모님들 이젠 영영 뵐 수 없고, 에비오제 원기소가 뭐가 그리 좋겠소만, 비싼 가격 불문하고 당신 굶어 배곯으며, 오직 자식 건강 위해 희생하신 부모님들, 제사 때도 바쁜 핑계 자식 노릇 부끄럽소.

---

28) 박민정. 국민영양제 '원기소' 사라진다, 뉴스파인더, 2017. 08. 16.

2. 유년기(幼年期, childhood. youth. early years)[29]

1958년 만 일곱 살이 되면서 명주동에 위치한 명주국민학교에 입학하였다. 외갓집에서 학교까지의 거리는 상당히 멀었다. 산을 두 곳이나 넘어야 하고 외솔길을 따라 상당 시간을 걸어야 했다. 늘 윗집 나보다 두 살 많은 김학기 형과 통학했다.

주위에는 강원도립병원이 위치해 있었다. 앞쪽 길을 건너면 남내천이 흘렀으며, 건너편 쪽으로 바라보면 공설운동장과 남산이 보였다. 조금만 북쪽으로 길을 따라 올라가면 강릉에서 최고 부자라는 최준집씨 집이 울창한 살림 속에 지어져 있었다.

가. 국민학교 시절

초등학교 1학년 때 기억나는 것은 담임 선생님 성함이 전분남이었고, 국어시간에 ㄱㄴㄷㄹㅁㅂㅅㅇㅈㅊㅋㅌㅎ부터ㅏㅑㅓㅕㅗㅛㅜㅠㅡ 바둑아! 바둑아! 철수야! 영희야! 정도이다.

3학년 때는 이모가 학교 뒤편에 외국인이었던 교장선생님 관사에서 식모(남의 집에 고용되어 그 집에서 먹고 자면서 주로 부엌일이나 청소 따위를 맡아 하는 여자)를 했기 때문에 점심 벤또(bento; 도시락, 밥을 담기 위해 플라스틱이나 얇은 나무판자, 알루미늄 등으로 상자처럼 만들어 쓰는 그릇)을 가지고 가는 수고는 덜었다.

29) 어린이의 성장과 발달의 한 단계로, 유치원과 초등학교 저학년에 해당하는 시기.

소위 교장 관사는 일본식으로 아름다운 나무 무늬가 그대로 살아있는 판자로 지어졌으며 이중으로 된 지붕을 얹고 있었다. 집 앞에는 벚나무 두 그루가 떡하니 버티고 있었다. 베란다는 양쪽으로 나 있었다. 창문 너머로는 울창한 덤불 숲이 내다보였고 마당에는 꽤 깊은 우물이 있었다. 마당은 상당히 넓은 편이었다. 아마 그 집은 구조나 형태로 봐서 일제강점기(日帝强占期)[30] 때 지어진 집으로 추정된다.

학교에서 돌아오면 토끼풀을 뜯어 토끼에게 주고, 학기 형과 소꼴 먹이러 개울가로 갔다. 가을이 되면 들판이 노랗게 황금색으로 변하고 낟알이 영글어 고개를 숙이면 메뚜기가 이리 푸르럭 저리 푸르럭 논두을 지나면 메뚜기 천지였다. 그럼 메뚜기를 잡기 위해 뛰어다니던 사람들이 많았다고 하네요. 메뚜기는 간식으로 먹기도 하고, 간장, 참기름 고춧가루에 버물려 반찬으로 먹기도 했다.

소꼴 먹이러 가서 알밤 먹고 콩서리하기, 소꼴 먹이러 가면 소가 풀을 뜯는 동안 밤나무를 털었다. 알밤을 주워 모으고 보리밭에 가서 보리목 끊어오고 밀밭에 가서 밀대 베어서 갖다 놓고 콩밭에서 콩서리 해다가 모두 모두 모아서 모닥불 위에 얹어 구워 먹었다.

시냇가 빨래터. 옛날에는 큰 빨래는 시냇가 빨래터로 가지고 나가서 빨래를 했다. 광목 이불, 홑이불, 겨울 내복, 삶은 빨래를 들고 가서 손으로 비비고 발로 밟는 원시적인 방법을 사용했다. 그후 점차 도구를 사용하게 되면서 돌이나 방망이로 두드려 빠는 방법

---

30) 표준국어대사전은 일제강점기(日帝强占期)라는 말을 쓰고 있다[5]. 흔히 일제시대(日帝時代) 등으로 줄여 부르기도 한다. 그밖에도 왜정시대(倭政時代), 왜정(倭政), 왜치시대(倭治時代), 왜치(倭治) 등으로도 부른다. 이는 일본의 옛 이름이자 멸칭인 "왜"를 사용하여 나타낸 표현이다.

이 효과적임을 알게 되었다.

빨래뿐 아니라, 목욕탕이었다. 남녀 가릴 것 없이 저녁 무렵이면 이곳 저것에서 때를 밀 곤했다. 그뿐이 아니다. 소위 개헤엄을 치면서 수영 실력을 쌓았다.

밀레의 이삭줍기와 타작하기 가을이 되면 벼를 다 베고 볏가리를 논에다가 쌓았다. 벼가 마르면 집으로 실어 가 타작을 했다. 이때 동네 사람들은 벼 이삭을 줍기 위해 나선다. 외갓집에서 놀던 때가 그립다.

소꼴먹이러 산계골 들어서면 작은 논뙤기서 들려오던 개구리소리. 수풀속에는 찡들이 비음을 토하고 아카시아 향기가 수를 놓는 들녘 하늘만 쳐다볼 때도 있다.

모심어야 하는데, 저수지가 말라붙은 가뭄 서리가 올 때도 있었다. 고추를 이렇게 삶아놓았으니 꽃피는 날만 있는 것도 아니었다.

논다래기('논다랑이' 의 방언)에는 물방개 소금쟁이 창문을 열고 먼 산을 바라보면 아련한 추억에 눈시울을 적시지만 그래도 오월은 좋은 계절이다.

내가 어릴 적 소꼴을 먹이러 다니면서 풀과 어린 나무들을 밟아 생겼던 오솔길은 아주 오래 전에 묻혔을 것이다. 추억 속 길들이 다시 나고 있는 건가. 아마도 올레길에 힘을 얻어 시작한 일인 듯하다. 묻힌 길이란 쓸모가 많지 않아 사라졌을 것이다. 지금까지 남은 길은 목적지까지 직선의 길, 걷기 편한 길들일 것이다. 막다른 길에 도착하면 돌아나올 수밖에 다른 재간이 없다. 느긋하게 걷는다. 어차피 시간에 쫓길 일도 없다.[31]

Daum카페, 아련히 떠오르는 추억의 어린시절, 2014. 01. 08.

윗집 학기형과 기억은 정월 대보름날 밤새도록 망우리(쥐불놀이) 놀이를 하던 기억이 난다. 일주 전부터 뒷산에 올라 장작 나무를 비롯하여 솔가지 등을 준비해놓았다. 그리고 멀리 구정, 제비리 등이 불꽃이 다 사라질 때까지 질세라 하고 계속 돌렸다. 그 후 몇일 동안은 팔이 아파 고생을 꽤나 했다.

☞ 추운 겨울이면 즐겼던 망우리 돌리기(쥐불놀이)

어릴 적 추운 겨울이면 성냥을 갖고 논두렁, 밭두렁으로 나가 바

31) 하성란. 막다른 골목에 서다, 한국일보, 2009. 12. 21.

짝 마른 풀을 태웠다. 불꽃을 보면 그저 기분이 좋았다. 요즘에는 화재의 원인이 된다고 논두렁에 불을 내는 것을 하지 못하게 하지만 예전에는 해충을 죽이고 풍년을 기원하기 위해서 일부러 논두렁과 밭두렁에 있는 마른 풀을 태웠었다.

동네 내 또래 아이들은 겨울이면 밭두렁에 나가 불장난을 하곤 했다. 장난 중에 사실 불장난이 제일 재미있고 구경 중에도 제일 재미난 구경이 불구경이다.

내 밑으로 여동생과 남동생이 있는데, 동생들이 있으면 귀찮으니 친구들하고만 놀기 위해 성냥을 챙겨 주머니에 넣고 동생들 몰래 나가려면 어디에 있다가 나오는지 두 동생이 귀신같이 알고 울면서 따라온다. 일단 울기 시작하면 산통이 깨진 것이다. 동생들을 데리고 가지 않으면 엄마한테 '왜 동생들 데리고 놀지 않느냐' 라 성냐고 야단맞을 게 뻔하기 때문이다.

그렇게 불장난을 하다가 정월 대보름이 가까워지면서는 망우리를 돌렸다. 망우리는 대개 빈 분유통에 철사를 허리 높이 정도 길이로 매고 분유통 바닥과 옆 하단에 대못을 이용하여 구멍을 내어 준비한다.

준비된 분유통 안에 떨어진 고무신이나 타이어 조각, 또는 나무토막을 넣고 불을 붙인 다음 빙글빙글 돌리면 분유통 바닥에 내놓은 구멍 안으로 바람이 들어가면서 분유통 입구로 붉은 불꽃이 나와 정말 신이 난다.

겨울밤이면 망우리를 돌리는 애들이 많아 여기저기서 붉은 불꽃이 빙글빙글 도는 모습을 보면 추위도 잊고 신이 났다. 요즘 불꽃

놀이 구경과도 비교될 만큼 재미났었다

출처: 네이버

망우리를 돌릴 때 불이 붙은 나무나 숯이 머리 위로 떨어지지 않는 것은 원심력 때문이다. 그러나 망우리 돌리는 것을 멈출 때 잘못하면 불꽃을 뒤집어쓰기도 하기 때문에 돌리다가 멈추고자 할 때는 돌리는 속도를 서서히 줄이면서 조심해야 한다.

그렇게 간헐적으로 돌리던 망우리를 정월 대보름날이면 나이 든 형들까지 나와 망우리를 돌리는데 정말 장관이었다. 초등학교 1, 2학년 정도였을 때의 일이다. 수원 지동초등학교 후문 뒤로 한옥이 길 양옆으로 줄지어 있었고, 한 쪽의 한옥 뒤편에는 큰 밭이 있었다.

그 밭이 망우리 돌리기에 적합해서 동네 아이들은 겨울이면 그 밭에서 놀았다. 그날따라 큰 형들까지 나와서 망우리를 돌리는데 땔감이 떨어지자 한 형이 송판으로 된 한옥 울타리를 부셔서 망우리 안에 넣고 때기 시작하니까 하나 둘 울타리를 뜯기 시작했다. 당시 집 뒤의 울타리는 송판을 많이 이용했었다.

군중심리가 발동된 것이다. 나도 평소 같으면 엄두도 못 낼 짓을 쉽게 행동에 옮기고 있었다. 집 울타리이니 바짝 말라서 불이 얼마나 잘 붙었겠나.

지금 같으면 절대로 허용될 수 없는 일이다. 다행히도 당시는 아이들이 나쁜 짓을 하면 야단은 쳤어도 웬만하면 법으로 해결하려 하지는 않았다. 요즘은 조금만 잘못해도 신고하고 고발하니 죄인을 양성하고 있는 셈이다.

내가 어릴 때는 추운 겨울 날씨에도 집 안에서 놀지 않고 이렇게 밖에서 놀았었다. 옷도 요즘 같은 패딩이나 기모 바지는 있지도 않았다. 기껏해야 면바지 속에 내복이 다였다. 그래도 친구들과 밖에서 뛰어놀았었다.

딱지치기, 자치기, 연날리기, 쥐불놀이, 썰매 타기 등 모두가 집 밖에서 하는 활동적인 놀이들이다. 놀 도구가 없으면 x 박기라는 말타기 놀이라도 했다. 반면에 요즘 아이들은 유모차를 타면서도 모니터를 통해 뽀로로 등 만화 영화를 보고 있다.[32)]

☞ 망우리 돌리기(쥐불놀이)

올해는 1960~70년대 탄광촌 아이들의 놀이문화에 대해 조사·정리할 계획이다. 지금의 60~70대들이 어린 시절에 놀던 놀이다. 탄광촌 중에서도 도계라는 지역으로 한정했다. 친구와 선후배 몇 명에게 틈틈이 메모해두었다가 내게 알려달라고 부탁해놓았다. 나도 기억나는 대로 기록하고 있다. 오늘은 '망우리 돌리기' 에 대해 정리했다,

망우리는 다른 지역에서 쥐불놀이라 부른다. 그런데 도계에서는

---

32) piedade. 추운 겨울이면 즐겼던 망우리 돌리기(쥐불놀이), 2022. 12. 23.

논두렁에 불을 지르는 것을 '쥐불놀이'라 했고, 깡통에 불을 담아 돌리는 놀이는 '망우리 돌리기'라고 했다. 설 명절을 지내고 나면 아이들의 망우리 돌리기가 시작된다. 망우리로 사용하는 것은 주로 통조림 깡통이나 분유 깡통이다. 통조림통보다 분유통이 조금 더 커서 아이들은 분유통을 선호했다. 깡통의 밑면과 옆면에 못이나 칼로 구멍을 뚫어 바람이 잘 통하도록 하고, 깡통의 윗부분에 가는 철사나 삐삐선(전화통신선)으로 허리 정도 길게 손잡이를 매단다.

망우리 돌리기를 하는 장소는 논이나 개울가이다. 여기저기에서 나무를 잔뜩 모아놓고 큰불을 만든다. 이걸 황덕불이라고 했다. 불똥이 튀어 나일론 잠바 곳곳에 구멍이 나고 젖은 양말을 말리다 보면 양말도 구멍이 나기 일쑤였다. 망우리 불을 피우려면 관솔 조각이 필요하고, 적어도 1~2시간 정도 놀 만큼의 나무를 준비해야 한다. 논과 개울에서의 놀이는 주로 누구의 불덩이가 더 큰지를 겨루는 것이다.

도계읍 홍전리 구동사택에서는 정월대보름이 되면 망우리 돌리기가 절정을 이루는 날이다. 저녁식사를 하고 아이들은 망우리 돌리기 준비를 한다. 잘게 쪼갠 나무조각들을 끈으로 묶고 망우리통과 같이 들고서 오십천을 건너 홍전역이 있는 앞산으로 간다. 산중턱에 도착하면 2~3m 간격으로 한 줄로 늘어서서 망우리의 불을 피워놓고 보름달이 떠오르길 기다린다.

이윽고 달이 떠오르면 모두 달을 향해 큰절을 하면서 소원을 빈다. 그리고 망우리 돌리기를 시작한다. 여기서도 누구의 불이 더 큰지 경합하므로 가급적이면 통 안에 가득 나무를 집어넣고 쉼 없이 돌려야 한다. 허공엔 달처럼 생긴 동그란 망우리불이 윙윙 노래부르면서 신나게 돌고 있다. 아이들은 서로 자기 것이 더 크다고 소리친다.

가지고 간 나무가 거의 다 태워질 무렵 한 친구가 "이제 불꽃놀이하자!" 이렇게 외치면 모두 함께 던질 시간을 조절하면서 깡통 속의 나무가 빨리 재가 되도록 더 힘껏 돌리고, 한 친구가 타이밍 조절 숫자를 외치면 함께 따라한다. 오, 사, 삼, 이, 일, 와아! 하고 모두 망우리통을 오십천 쪽으로 높이 멀리 던진다. 화려한 불꽃이 밤하늘을 아름답게 수놓는다. 그렇게 망우리 돌리기는 대미를 장식하면서 마무리되었다.[33]

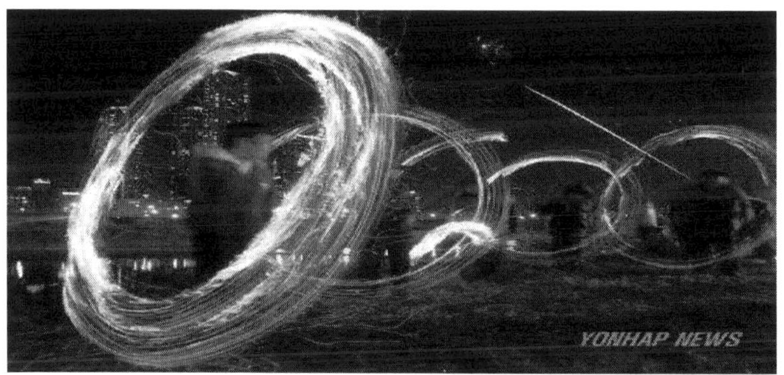

나는 윗집 학기형 형제들과 일주일 전부터 망우리에 필요한 것들을 준비한 후, 우리 뒷산에 올라 밤새도록 "망우리야" 를 목이 터져라 외치며 놀았다. 성산, 제비리 등의 망우리 놀이 불꽃이 사라질 때까지....누가 끝까지 돌리나 하면서.

33) 워킹맨. 김태수의 이야기보따리-망우리 돌리기-, 2023. 3. 8

나. 어린 야만을 용서하다

해질녘 이른 저녁을 먹고 마당에 나와 평상에 한가로이 앉아 있었다. 개굴개굴개굴…. 돌담을 넘어오는 개구리 떼 울음소리에 이끌려 집을 나섰다. 마을을 벗어나 좁은 농로를 따라 걷다 보니 뉘엿뉘엿 저무는 천둥지기 논마다 어린 모들이 초록초록 흔들리고 있었다. 들판엔 보랏빛 어둠이 서서히 덮였다. 논물 위로 비치던 부드러운 산 능선도, 귀가를 서두르며 하늘을 날던 재두루미의 날갯짓도 어둠 속으로 사라졌다. 논배미마다 짝을 부르는 개구리 떼 울음소리만 자욱했다. 그 울음소리는 마치 몸을 씻기기 위해 비누칠을 하면 간지러워 깔깔대는 아기 웃음소리처럼 들리기도 하고, 잃어버린 짝을 찾기 위해 혼신을 다해 울부짖는 비명처럼 들리기도 했다.

나는 걸음을 멈추고 논둑에 앉아 개구리 떼 울음소리에 귀를 기울였다. 문득 어린 시절의 한 장면이 떠올랐다. 초등학교 2, 3학년 무렵. 학교가 파하면 나는 집으로 가지 않고 또래 아이들과 들판이나 강가에서 놀았다. 어떤 날은 강가에서 모래성을 쌓으며 놀기도 하고, 그러다 배가 고프면 논둑에서 개구리를 잡아 개구리 넓적다리를 불에 구워 먹었다. 개구리 같은 걸 먹다니 무작스럽다거나 야만스럽다는 지청구를 할 분들이 있을지도 모르겠다. 먹을거리가 턱없이 부족하던, 가난이 일상이던 시절이었다면 용서가 될까. 그날도 학교가 파한 뒤 나는 또래 아이들과 강둑 가까운 논에서 개구리를 잡고 있었다. 될 수 있으면 넓적다리가 토실토실한 큰 개구리를 잡으려 했다. 하지만 큰 개구리는 동작이 빨라 잡기가 어려웠다. 개구리를 쫓다가 우리는 어느새 강둑 밑까지 갔다. 움푹 파인 강둑 밑은 늪처럼 질퍽거렸다. 친구가 개구리를 쫓다가 질퍽거리는 늪에 발이 빠졌다.

그런데 친구의 발에 무언가 딱딱한 것이 밟혔던 모양이었다. 그것을 손으로 집어 올리던 친구가 비명을 질렀다. "아악, 이게 뭐야?" 친구는 손에 잡힌 그것을 내 앞으로 던졌는데, 나도 그걸 보고 소스라치듯 비명을 질렀다. 해골! 사람의 해골이었다. 어린 우리는 왜 강둑 밑에 사람의 해골이 있는지 알지 못했다. 그날 얼마나 놀랐던지 다시는 개구리를 잡으러 들판으로 나가지 않았다. 부득이 소꼴을 먹이러 그 부근을 지날 때면 해골의 기억 때문에 온몸이 으스스 떨리곤 했다.

이젠 그런 해골을 볼 일이 없지만, 이따금 신문 보도로 접하는 피골이 상접한 아프리카 아이들, 먹을 게 없어 진흙 쿠키를 먹고 온몸이 퉁퉁 부은 아이들을 떠올리면 어린 시절 강둑 밑에서 건져 올린 해골을 보았던 때처럼 으스스 신열이 일곤 한다. 나이 들수록 마음은 여려지는 것일까. 내 어린 시절이 그랬던 것처럼 뱃가죽이

등가죽에 붙는 가난이 일상인 굶주린 아이들이 지구별 도처엔 여전히 널려 있다. 지구촌 아이들의 굶주림의 고통을 외면하는 것은 크나큰 죄악이 아닐까.

내 배를 불리기 위해 타인의 고통에 눈을 감는 모진 세상이다. 국익이라는 명분으로 무관심과 무자비의 장벽을 쌓는 세상이다. 지구공동체의 종말을 알리는 재앙이 도래하고 있는 것일까. 묵시적 종말이나 생태적 종말이 아닌 무자비의 종말 말이다. 비교적 풍요롭게 산다는 미국이나 유럽도 그렇고, 이런 종말적 징후의 악성 바이러스는 전 세계로 번지고 있다. 일찍이 인류의 성인들이 가르친 자비나 사랑의 미덕을 회복하지 못한다면 인류의 미래는 암담할 뿐이다.

한가로이 저녁 산책을 나섰던 가벼운 발걸음이 무거워졌다. 농로 옆의 논에서 울부짖는 개구리 울음소리는 잦아들 기미가 없다. 지구를 살리는 생명의 합창은 여전히 낭랑한데, 개구리며 메뚜기 같은 것을 잡아 굶주린 배를 채웠던 어린 야만이 떠올라 울가망한 기분이었다. 어느새 하늘엔 초승달이 지고 별들만 총총했다. 내 머리 위로 빛나는 별들이 자괴감에 사로잡힌 나를 위로해 주었다. 다 오래전 일이잖아. 지상의 생명은 모두 다른 생명을 취하지 않으면 살 수 없거든.

나는 캄캄한 밤을 비추는 우주의 빛들과 눈을 맞추며 내 기억 속의 어린 야만을 용서할 수 있었다. 개구리 떼 소리의 배웅 속에 집으로 돌아오며 잠시 무거워졌던 마음이 다시 가벼워졌다.[34)]

34) 고진하. 어린 야만을 용서하다, 서울신문, 2017. 5. 23.

다. 삶의 변화

외할아버지와 할머니, 이모 그리고 어머니는 농사와 화전(火田)을 계속해서 밭이 대략 삼천평 정도 수준이 되었다. 기르는 소도 3마리로 증가하였다. 밭에 감자, 무, 배추, 고추, 옥수수 등을 주로 재배하다가 한해는 구렁밭(?)에다 참외[35]와 수박[36] 그리고 고구마를 심었다.

그런데 그해 땅과 기후 조건이 일치했는지 아니면 외할아버지께서 잘 시비(施肥; 논밭에 거름을 줌)하셨는지 작황(作況; 농작물의 생산이 잘되었는지 못되었는지의 상황)이 무척 좋았다.

수박과 참외 수확(收穫: 농수산물을 거두어들임 또는 그 거둔 양)이 풍년(豊年; 농사가 잘되어 수확이 많은 해. 생산된 결과물의 양이나 소득

---

35) 땅에서 자라 과일인지 채소인지 헷갈리지만, 한국에서는 채소로 분류한다. 정확히는 과채류에 속한다. 박과 식물이므로 수박, 오이, 호박 등과 친척이며, 특히 오이속에 속하므로 오이와는 가까운 관계. 색은 좀 다르지만 멜론의 품종 중 하나로 보고 있다. 제철은 여름이지만 비닐하우스에서 1년 내내 재배가 가능하다.

36) 수박(watermelon)은 쌍떡잎식물 박목 박과에 속하는 덩굴성 한해살이풀이며, 학명은 Citrullus lanatus. 전 세계에서 두 번째로 가장 많이 재배되는 과일이다. 1위 바나나, 2위 수박, 3위 사과, 4위 포도, 5위 오렌지. 대표적인 여름 제철 채소 또는 과일로 여름을 상징하는 이미지가 있다. 한 마디로 여름 과일의 대명사. 하지만, 들기가 무겁고, 자르기가 힘든 과일이다.

따위가 매우 많은 경우를 비유적으로 이르는 말)이 되면서 강릉시 용강동에 위치한 소위 '용강동시장(현 강릉서부시장)' 에 판매하기에 이르렀다.

매일 외할아버지는 지게를 지고 외할머니, 이모는 머리에 이고 시장으로 오전 오후 반복되었다. 장날에 하루에 여러 번 교대하며, 운반하였다.

그러다 용강동 시장에 조그만 가게(물건을 차려놓고 파는 집. 비교적 규모가 작은 집을 이르는 말이다)를 얻어 본격적으로 '우진 과일' 가게를 차렸다. 수박, 참외뿐만 아니라 감자, 무, 배추, 고추, 옥수수 등 다양하게 진열하여 팔았다. 장사가 잘되어 많은 수입을 얻었다. 그리하여 어머니는 가게가 딸린 방을 하나 구입해서 장사를 시작했다.

그런 과정속에서 나는 학군(學群; 지역별로 몇 개의 중학교나 고등학교를 합쳐서 만든 학교의 무리) 변경 조치로 초등학교 4학년 부터는 강릉시 홍제동 위치한 강릉 초등학교로 전학하게 되었다. 그런 관계로 장사 수입으로 저축한 돈과 약간의 돈을 빌려 소위 '발락고개' 라는 동네에 집을 구입해 외갓집으로부터 독립하게 되었다.

발락고개는 강릉초등학교에 왼편 골목을 따라 올라가면 언덕 위쪽에 위치했는데, 우리 집은 방 두 칸에 부엌 하나, 마당은 10평 정도였으며, 집 뒤편에는 밭으로 형성되어 있으며 그 위쪽에는 '전파감시국' 이라는 관공소가 있었다.

발락고개를 지나 내려가면 도살장이 있었으며, 그 길을 죽 따라가면 공동묘지, 그리고는 북바위를 지나 우추리(위촌리) 초등학교가 나온다.

그 당시 우리나라 산은 거의 민둥산이었고 발거숭이 산이었다. 가스나 연탄, 석유 같은 땔감이 없었으니 너도 나도 산에 올라가 나무를 베어다가 땔 수밖에 없었기 때문이다.

추운 겨울이 오기 전에 땔감을 준비해야 했던 그 시절에는 온 가족이 주위에 있는 마른 풀 한 포기가 땔감이었다. 심지어는 밤으로 남의 산에서 몰래 나무를 베어다가 땔감을 마련해야 하는 처지였다. 해마다 봄이 되면 온산이 점점 벌거숭이가 되어 가고 있었다. 산에 나무가 없으니 여름만 되면 홍수가 나서 마을 앞 논밭의 곡식은 다 떠내려가는 일이 년 중 행사였다. 그래서 학교에서는 정부 방침에 따라 식목일날 대대적인 나무심기 행사를 실시했다.

어머니와 나는 토요일 일요일이면 우추리(위촌리) 학교를 지나 야산에 가서 나무를 장만하곤 했다. 집에서 대략 12km 정도였는데, 일주일 전에 미리 나무를 베어놓고 그다음 주에 나무가 마르면 지게를 이용해 집까지 운반했다.

열 살 때 정도로 기억한다. 방 하나는 내 차지였다. 윗방 아래에 작은 서랍장이 있었다. 양말 같은 걸 넣기 위한 공간이었을 것이다. 직사각형으로 꽤 깊숙이 들어가는 서랍이었다. 나는 일찌감치 그 서랍을 나의 것으로 만들어 버렸다. 신문지를 깔고 그곳에 내가 좋아하는 물건을 하나둘씩 보관하기 시작했다. 양초, 구슬, 빳지, 연필 등 온갖 것을 다 그곳에 보관했다. 가끔 정리도 하면서 필요하지 않다고 판단되는 것은 다 버렸다. 그곳은 내 어릴 적 마음의 보물 창고였다.

1960년 4월, 학생이 중심세력이 되어 일으킨 민주주의 혁명인 4·19혁명(四一九革命) 발발(勃發)하게 되었다.

1960년 3월 부정선거가 극에 달하였다. 이때 실제적으로 많은 공무원들이 이승만의 당선을 위하여 동원되었다. 이전의 선거에서는 경찰의 개입이 후보자등록·선전활동·투표과정에 국한되어 있었는데 반하여, 내무부와 각 도의 경찰이 이제 실질적인 선거본부가 되어 투표총계를 조작하고 날조하였던 것이다. 1960년 많은 국민들은 민주당 대통령 후보인 조병옥(趙炳玉)의 죽음으로 다시 실망에 빠졌다.

4월 초 전국에서 부정선거를 규탄하는 여론이 비등하고 있을 때, 항구도시인 마산의 시민들은 최루탄을 눈에 맞아 만신창이가 된 채로 마산 해변가에 버려진 16세 마산상고생 김주열(金朱烈)의 시신을 발견하였다. 그 소년은 부정선거를 규탄하는 시위에 가담했다가 마산 경찰에 의하여 체포 당했음에 틀림없었다. 시민들과 학생들은 거리로 쏟아져 나왔고, 시위 도중 경찰의 총에 맞아 쓰러졌다.

경찰력이 자유당의 주요 골격을 이루어왔다는 것은 4·19혁명 후 경찰력의 마비로 인하여 자유당이 하룻밤 사이 붕괴됨으로써 명백하게 드러났다. 교수들의 시위로 시작된 시위의 새로운 물결, 미국으로부터의 압력, 경찰력의 붕괴, 그리고 무엇보다도 군으로부터의 지지결여 등등에 직면하여, 이승만은 1960년 4월 26일 사임을 발표하지 않으면 안되었다. 이틀 전에 이승만으로부터 외무부장관으로 임명된 허정은 과도정부의 수반이 되었다.

4.19 혁명이 우리에게 주는 의미는?

4.19 혁명은 학생과 시민이 중심이 되어 반독재에 항거한 아시아 최초의 민주주의 혁명이며, 우리나라의 역사상 민중이 최초로 정권을 타도하는 데 성공한 혁명으로서 그 의미가 크다고 할 수 있습니다. 시민과 학생 스스로가 국민의 자유와 권리를 지키고 자유민주주의 이념을 실현하기 위해 노력하였고 통일운동의 활성화 계기를 마련함으로써 민주주의 발전의 초석이 되었다는 점에서 역사상 매우 의미있는 사건이었습니다.

한편으론 4.19 혁명이 5.16 군사정변의 한 원인이 되었다는 주장도 있지만, 그렇다고 하여 4.19 혁명의 역사적 의의가 감소되는 것은 결코 아닐 것입니다. 4.19 혁명에서 촉구되고 추구되었던 민주주의에 대한 열망과 사회정의 실현은 향후 우리사회가 지향해야 할 최고의 가치로서 확인할 수 있었다는 점에서 4.19 혁명의 가치는 우리 헌정사에 있어서 영원불멸의 가치를 지닌다고 할 것입니다.[37]

사진1 빽빽한 운동장

사진2 콩나물 교실

사진3 운동장 애국조회

사진4 제62회 매동초 졸업식

소풍-만화경 보기

운동회-기마전

새마을웅변대회

물자 아껴 쓰기

37) 김일환, 이형근. 다시돌아 보는 4.19 혁명, 대검찰청 블로그, 2013. 04. 17.

발락고개

강릉시 홍제동 165번지
발락고개

고개가 가파라
정상에 오르면
숨이 발닥거려
발락고개란다.

그곳에서 난 어린
시절을 보냈다
다마치기, 깡통차기 하면서
하루는 네가 왔다.

옷자락 펄럭이며 논을 걸어서
회색 발등을 내밀었다
풀뿌리는 알 것같다
이제는 가파르지 않아
숨쉴 것같다고

그때를 회상하며 기억해 본다
땅 속에서도 말라가는 네 뿌리를.

라. 유년 시절에

8km가 넘는 명주동 명주국민학교에서 학군(學群; 지역별로 몇 개의 중학교나 고등학교를 합쳐서 만든 학교의 무리)조정으로 홍제동 강릉초등학교 4학년으로 전학와서 집까지 거리가 그리 멀지 않아 학교에서 많은 놀이를 하곤했다.

> 오늘날 아이들의 세계는 텔레비전과 비디오 게임으로 특정지을 수 있다. 아이들은 거의 모든 유년 시절을 인간에게 매우 중요한 네 가지 요소들이 결핍된 상태에서 보낸다. 그 네가지 요소는 물, 불, 공기, 흙이다. 자동차 배기사스만을 호흡하는 아이들에게는 공기가 부족하다. 정수된 물만을 마시기 때문에 물이 부족하고, 아스팔트 위만 걷기 때문에 흙이 부족하다. 또한 불이 부족하다. 가스레인지의 불꽃만을 들여다보기 때문이다.
>
> -장 피에르 카르티에 · 라셀 카르티에, 『농부 철학자 피에르 라비(Pierre Rabhi)』[38]중에서

학교에서 공부를 마친 후 대부분 놀이는 남자는 다마치기(구슬치기)[39], 빳지치기(딱지치기), 쌈치기, 말뚝박기(좆박기), 말타기, 제기차기, 깡통차기, 공차기 등을, 여학생들은 고무줄놀이, 공기놀이, 땅따

---

38) 자연농법을 몸소 실천하고, 유럽과 아프리카를 넘나들며 농부들에게 생명 농업을 헌신적으로 가르치는 피에르 라비. 그는 브레이크가 고장난 자동차처럼 질주하는 도시의 삶 속에서 무의미하고 무기력하게 사는 대신 1헥타르의 땅이라도 경작하며 자연과 조화를 이루고 사는 즐거움을 느껴볼 것을 제안한다.

39) 다마치기(tama--; '구슬치기'의 비표준어. 구슬을 가지고 노는 아이들의 놀이.

먹기, 오재미, 사방치기 등을 주로 했다.

네이버블로그. 과거와 현재에 대하여: 김문철, 말뚝박기(좆박기), 2019. 05. 12

Daum카페, 가장 와일드 했던 말타기 놀이(2021. 02. 28)

티스토리. 어린시절 옛날놀이의 추억(2020. 06. 21)

1961년 5월 16일 박정희 소장을 비롯하여 대한민국 육군 장교들이 일으킨 군사 쿠데타(五一六軍事政變, May 16 coup)가 일어났다. 이 사건으로 인하여 제2공화국의 장면 내각은 출범 9개월 만에 무너졌고, 박정희를 수반으로 하는 국가재건최고회의가 등장했다.

5.16 정변 당일 새벽, 여러 사단에서의 병력 차출이 계획처럼 이루어지지 않자 정변 수뇌부에서는 정변 실패에 대해 심각하게 고려하고 있었다. 육사 2기 출신이자 박정희의 동기인 한웅진은 '이렇게 병력 동원이 지지부진 하니 차라리 야산이나 도시를 점거하고 협상해야 하는 것(플랜B)이 아니냐'고 할 정도였다. 그러자 박정희는 "어디 병력이라도 출동해야 협상이고 나발이고를 할 것이 아닌가" 하고 플랜B를 시행하는 것조차도 살짝 회의적으로 보았으나, 김포에 주둔하는 해병대 제1여단 병력 1,500명이 여단장 김윤근 해병준장의 지휘로 합세한 후에 한시름 덜게 된다. 그러나 수도권 북단의 김포 최전방을 경계, 방어하는 임무를 지닌 해병대 제1여단 병력을 쿠데타를 위해 빼돌리고 전방쪽을 비워둔 건 자칫 북한의 남침을 불러일으킬 수 있는 대단히 위험한 행위였다.

4월혁명으로 이승만 독재 정권이 무너진 지 1년 여 만인 1961년 5월 16일 새벽, 한국 현대사의 비극 가운데 하나로 꼽히는 5·16정변이 일어난다. 박정희 소장을 앞세운 김종필 등 현역 및 예비역 장교 250여 명과 사병 3500여 명은 이날 새벽 3시께 한강 다리 앞에서 잠깐 총격전을 벌인 끝에 별다른 저항을 받지 않고 서울 시내에 진입한다. 중앙청과 방송국 등 목표 지점을 점거한 쿠데타군은 새벽 5시 첫 라디오 방송을 통해 거사의 명분을 밝히는 한편 6개항에 이르는 '혁명 공약'을 내놓는다. 오전 9시에 '군사혁명위원회' 명의로 전국에 비상 계엄령을 선포한 정변 주도 세력은 오후 7시를 기해 정권을 인수한다고 발표한다. 이로써 한국에서는 군사 정권 시대가 막을 올린다.

5·16 군사 정변 주도 세력이 내세운 '혁명공약'

1. 반공(反共)을 국시의 제일로 삼고, 지금까지 형식적이고 구호에만 그친 반공 체제를 재정비, 강화한다.

2. 유엔헌장을 준수하고 국제협력을 충실히 이행할 것이며, 미국을 위시한 자유 우방과의 유대를 더욱 공고히 한다.

3. 이 나라 사회의 모든 부패와 구악을 일소하고 퇴폐한 국민 도의와 민족정기를 바로잡기 위해 청신한 기풍을 진작시킨다.

4. 절망과 기아선상에서 허덕이는 민생고를 시급히 해결하고 국가 자주 경제의 재건에 총력을 경주한다.

5. 민족의 숙원인 국토 통일을 위해 공산주의와 대결할 수 있는 실력의 배양에 전력을 집중한다.

6. (군인) 이와 같은 우리의 과업을 성취하면 참신하고 양심적인 정치인에게 정권을 이양하고 우리들 본연의 임무로 복귀할 준비를 갖춘다. (민간) 이와 같은 우리의 과업을 조속히 성취하고 새로운 민주 공화국의 굳건한 토대를 이룩하기 위하여 우리는 몸과 마음을 바쳐 최선의 노력을 경주한다.

군사 정권 주도 세력은 헌법이 정한 절차에 의해 구성된 민주 정부를 전복시키고 군권으로 부당하게 권력을 장악하였다. 이들은 이른바 '혁명 공약' 을 발표하여 반공을 중시하고 경제 개발에 주력할 것을 밝혔다. 동시에 참신하고 양심적인 정치인에게 정권을 넘길 것을 약속하였으나, 박정희는 대통령 선거에 출마하여 민정 이양 약속을 지키지 않았다.

1961년은 5·16 군사 정변으로 인하여 온 나라가 어수선한 분위기였다.

점심시간에 점심을 먹기 전에 혁명공약을 한 번씩 외우고 번또(bento; 도시락. 밥을 담기 위해 플라스틱이나 얇은 나무판자, 알루미늄 등으로 상자처럼 만들어 쓰는 그릇) 뚜껑을 열었다.

강릉국민학교는 그 당시 한 반에 70명 정도로 각 학년 6학급 총 36학급으로 정도로 운영되었다. 교장선생님은 정강시였다.

교장 정 강 시 선생님

4학년 2학기 초, 학급대항 전 축구시합이 벌어졌다. 나는 4학년 2반 선수로 뛰었다. 그러고 며칠 후 학교 축구선수로 발탁되었다. 학교 전체 축구선수는 6학년 16명, 5학년 12명, 4학년 4명, 총 32명으로 구성하여 1차 연습하였다. 목표는 두 달 후 강릉교육장배 축구대회였다.

최종 선발은 6학년 15명, 5학년 8명, 4학년 2명이 최종 25명이 선발되었다. 4학년에서 김중구와 내가 선발되었다.

우리는 수업을 마치고 축구 연습을 하였다. 감독은 최윤식선생님이 맡았고, 코치는 황지 사람으로 노재춘이였으며, 골키퍼 트레이너(trainer)는 강릉농업고등학교 축구선수 출신 김진복이었다.

4학년 때 축구부 훈련은 주로 개인기를, 5학년과 6학년에 올라가면서 주로 시합 위주로 전술 부문을 익혔다. 그러다 야구부가 장단 되면서 축구부 대부분 학생이 축구와 야구를 겸하여 훈련하는 상황이 되었다. 게다가 육상 시합이 있으면 단거리, 중・중거리, 도약 선수까지도 활약했다.

그때 기억나는 시합은 강릉교육장배 축구대회[40]에서 성덕국민학교와 결승전에서 승리하여 우승한 것과 춘천에서 개최한 교육감기대회에서 준우승한 기억이 난다.

각 학교 몇 명의 동기생들은 계속 축구선수의 길로 들어서서 중・고등학교, 대학을 졸업하고 체육교사, 실업팀, 은행, 축구 코치 등에서 활약하기도 했다.

40) 출전학교는 강릉초등학교, 옥천초등학교, 성덕초등학교, 모산초등학교, 경포초등학교, 주문진초등학교, 묵호초등학교, 사천초등학교 등이다.

1963년, 나는 졸업 무렵에 중학교 진학 문제와 관련하여 고민에 빠지게 되었다. 명륜중학교 축구선수로, 경포중학교 시험으로 진학하느냐 하는 진로 문제였다.

명륜중학교 축구선수로 진학하면 졸업할 때까지 교납금은 면제받을 수 있는 스카우트 제안이었고, 경포중학교는 오직 학업 실력('입학시험')만으로 선발했다. 그 당시 많은 학생들이 떨어졌다. 낙방한 학생은 강릉중학교 후기 모집에 응시 하곤했다. 대개 시내 외지 주문진읍이나 묵호읍에 위치한 국민학교에서는 학급에서 1, 2등 정도가 응시할 정도였다.

6학년 때는 각 학교에서는 입학시험 경쟁으로 대부분 저녁 방과 학습을 할 정도였다. 그때 나는 축구 연습을 마치고 저녁 자율학습에 참가했다.

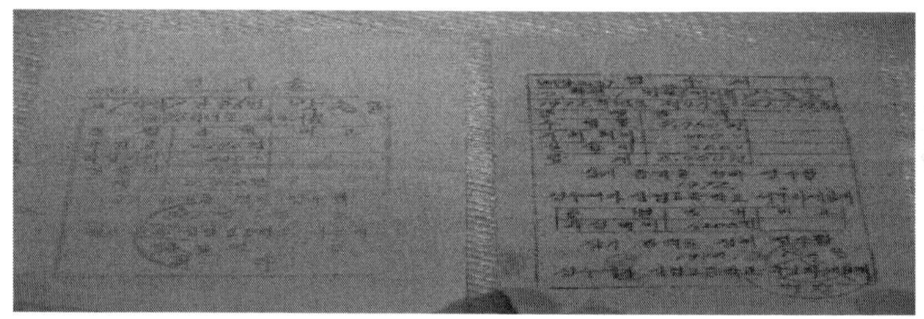

가을 어느 날 심재화 담임 선생님에게 면담을 요청했다. 등록금 전액을 면제 받는 사립학교인 명륜중학교로 갈 것인지, 아니면 경포중학교로 진학할 것인지를....

6학년 2반에서 홍성욱이와 1, 2등을 다투었는데, 홍성욱이는 가정 환경상 공부 장학생으로 명륜중학교로 진학을 결정한 상태였다. 이러한 과정을 통해서 경포중학교로 진학을 결정했다. 입학시험을 치르고 얼마 후 담임 선생님이 우리 집으로 가정 방문을 왔다.

그 당시 경포중학교 입시에서 10위권 내에 진입한 학생의 성적 순위는 물론 학교명이 신문에 발표되던 시절이어서 각 학교의 경쟁은 물론 자존심이 걸려 있었다. 특히 각 학교의 6학년 담임선생님들은 상당히 예민해 있었다.

내가 7등 장학생으로 입학하는 바람에 격려차 오신 것이었다. 기쁜 마음으로. 하지만 난 어리둥절할 뿐 선생님이 하시던 말씀이 귀에 들어오지 않았다.

외할아버지는 몇 가지 취미가 있었는데, 그중 하나가 연만들기였다. 겨울이면 늘 하루를 정해 연을 만드셨다. 외할아버지는 동네 꼬마들에게 연을 만들어 주는 걸 즐기셨다. 우리에게 만들어 주신 연은 각 면이 세 뼘 정도 되었고 삼각형 모양이었다. 창호지를 사용해 가볍고 날렵한 연을 만들어 주셨다.

우리는 연들을 하늘에 띄운 채 실타래를 들고 길을 따라 내달렸다.

연을 날리는 시기는 음력 정월 초하루에서부터 보름까지가 본격적인데, 대체로 12월 20일경이면 벌써 아이들이 여기저기서 연을 날리기 시작하는 것을 보게 된다. 그래서 정월 보름 며칠 전이면 절정에 달하는데, 구경꾼들의 성원도 이때쯤에는 한층 더 열기를 띠게 된다.

아이들은 끊어진 연실을 걷느라고 서로 다투어 남의 집 담을 넘어 들어갈 때도 있고, 심지어 남의 집 지붕으로 올라가는 일도 있어 말썽을 빚기도 한다. 또 끊어져 나가다가 가라앉는 연을 줍느라고 논바닥 속으로 뛰어가다가 빠져서 옷을 버리기도 한다.

대규모 고층 아파트 단지에서 아이들은 갇혀 지낼 수밖에 없다. 똑같이 반복되는 직선과 네모 상자 속에서 저마다 고유하게 타고난 기질을 억눌리고, 획일적인 소비충동과 경쟁심만 천편일률로 복제되어 간다. 집안에서는 층간 소음 때문에 발뒤꿈치를 들고 다녀야 하고 집 바깥에 나가면 곧바로 주차장과 도로에 포위된다.

아이들은 강아지조차 자유롭게 배회할 수 없는 마을에서 살아가고 있다. 아니 마을 자체가 증발되어 버렸다. “다 같이 돌자 동네 한 바퀴”라는 동요처럼 지역 전체를 놀이터로 삼던 시절은 아득한 향수로 묻히고 있다. “동네 꼬마 녀석들 추운 줄도 모르고 언덕위에 모여서 할아버지께서 만들어 주신 연을 날리고 있다.”는 풍경은 판타지(fantasy) 같은 이야기가 되었다.

어른들은 현재의 자기가 어떻게 형성되었는지 돌아볼 일이다. 매서운 겨울바람에도 아랑곳하지 않고 들판을 누비던 유년기가 없었다면 지금의 삶이 얼마나 삭막해졌을까? 그러한 시공간을 경험하지 못하면서 자라나는 지금의 아이들은 어른이 되었을 때 어떤 추억을 먹고 살아갈까? “낮에 놀다 두고 온 나뭇잎 배는…” 같은 동요를 들으면서 아무런 이미지가 떠오르지 않아도 괜찮을까? 꽃동네, 산그늘, 봉우리, 마실, 물안개, 북두칠성, 달무리, 아지랑이, 침 이슬, 떵거미, 고드름, 처마 밑, 종달새, 올챙이, 오두막집, 과수원, 산기슭, 오솔길, 솔 내음, 시냇물, 풀피리…. 이런 낱말들이 낯설어 하는 아이들이 소프트파워(Soft power)시대의 ‘문화 경쟁력’을 갖출 수 있을까?[41)]

따뜻하고 귀여운 걸 보면 나누고 싶어하는 마음, 슬프고 화나는 일이 있으면 고독해지고 싶은 마음, 사계절은 사람의 감정을 본 따서 만든 파노라마일지도 모른다. 정적인 것처럼 보이는 강조차도 결국 바다로 흘러가듯이, 정적인 감정이란 것이 존재하긴 할까. 늘 고요해 보이는 사람도 더 넓게 폭을 넓혀서 바짝 다가가 보면, 감정의 진폭을 느끼는 인간일 뿐.

41) 김찬호. 생애의 발견, 서울: 인물과사상사, 2010: 23-24.

그때를 아시나요...6,70년 당시 옛날 학교 수업 장면

서울안산초등학교 6학년 아이들을 담임했을 때 무엇을 어떻게 가르쳐야 정말로 그들이 성장해서 살아가는데 도움이 될 수 있을지를 생각했다.

장차 살아갈 인생은 자신이 책임져야하기 때문에 '공부는 자기 스스로 힘으로 하는 것' 이라는 생각을 주입시키기에 노력하였다.

때로는 가정학습과제를 무겁게 부과하기도 했고 생활 자세에 대해 엄격하게 다루었으며 작지만 자신의 힘으로 해낸 일을 칭찬하는데 노력하였다.

가정형편이 넉넉하지 못한 아이들이 많았으므로 지금 주산을 가르쳐주면 장차 진학을 하거나 취직을 했을 때 유용하게 쓸 수 있겠다고 생각했다.

매일 아침자습시간에 강력하게 훈련을 시켰더니 아이들의 실력이 쑥쑥 향상되었고 졸업식을 앞두고 80명 전원이 급수자격증을 갖게 되었다.

이미 4급이었던 아이는 1단을 땄고 초보자들도 4,5급 자격을 따게 된 것이다. 전 학급 아이들이 급수자격증을 가슴에 펼쳐들고 기념사진을 찍었는데 지금 그 역사적인 사진을 찾을 수가 없어 매우 안타깝다.

아이들 모두에게 한 장씩 나누어주었기 때문에 아마도 그들의 사진 앨범 속에 어딘가 남아 있을 것으로 생각되어 언젠가는 그 추억의 사진을 다시 볼 수 있을까 하는 소망의 끈을 놓지 않고 있다.

4학년 이상 클럽활동 주산부에 들어가 매주 1시간씩 특기신장을 위해 주산을 배울 수 있지만 기능의 숙련을 위해서는 학교수업시간 밖에도 개인적으로 연습을 꾸준히 해야 실력이 붙기 때문에 실질적인 성과를 거두기는 쉽지 않다.

그런데 우리 학급 아이들 전체를 담임교사가 매일 아침자습시간에 집중훈련을 시켰기 때문에 그렇게 좋은 성과를 거둘 수 있었다고 생각된다.

이미 4급자격을 갖고 있던 김찬국이가 친구들을 위해 “떨고 넣기를 358, 756 …” 하는 호산을 맡아 꾸준한 봉사활동을 해준 덕택에 성과를 거둘 수 있었다고 고맙게 여기면서 주산훈련을 통해 아이들에게 무엇이든 마음먹고 ‘하면 된다’ 는 교훈을 터득해준 쾌거라고 생각된다.

한동안 간단한 덧셈 뺄셈도 암산으로 하려들지 않고 컴퓨터에 의존하는 바람에 주산은 컴퓨터에 밀려 한동안 거의 사용되지 않아오다가 요즈음 “두뇌가 좋아진다” 고 주산열풍이 다시불고 있

어 오히려 외국에서 더 인기가 있다고 한다.[42]

주산에 대한 인식이 달라짐에 따라 학교에서 수익자 부담으로 참가하는 방과후학교의 과목으로 인기가 높다고 한다.[43]

42) 조선일보. 그때를 아시나요...6,70년 당시 옛날 학교 수업 장면, 2017. 1. 21.
43) 엠에스(潤河). 그때를 아시나요...6,70년 당시 옛날 학교 수업 장면, 2019. 03. 03.

발락고개 2

희망의 손등에는 사마귀[44] 투성이다.
얼음을 깨고 손을 휘저으면
더욱 자라난 사마귀
풀잎 씹는 자의 귀엔
눈보라만 몰아쳤다.

몸 속으로 흐르는
어떤 것이
샛길로 빠졌는지도 모른다.

그 곳에서 오늘도
우두커니
고개 너머를 바라보면서
그 시절 그날을 기억해 본다.

44) 사마귀에 대한 서양의학적 정의는 인유두종 바이러스에 의해 유발되는 양성종양을 말한다. 임상에서는 이것을 보통 사마귀(common wart), 편평 사마귀(flat wart), 발바닥 사마귀(plantar wart), 성기 사마귀(genital wart) 등으로 분류하고 있다.

3. 소년기(少年期)[45]

소년(少年)은 보통의 경우에는 유년기 다음 시기를 뜻한다. 또 다른 연령별 호칭인 장년과 중년이 비교적 나이대를 특정하고 있는 반면, 이 소년이나 청년이라는 말은 사전에서 정확한 나이대를 지목하지 않는 특징이 있다. 고로 정확한 기준은 없으나 보통 학창 시절을 보내는 학생들을 뜻하며 만 7세부터 미성년자의 마지막인 10대 후반인 만 18세까지를 말한다. 유어어인 소년기(少年期)의 사전상 정의는 '소년 · 소녀로 있는 동안' 이다.

근대까지만 하더라도 남자, 여자 막론하고 모든 어린아이들을 뜻하는 것이었기 때문에 소년소녀란 표현은 조금 뒷날에 나온 표현이다. 어린이에 대응되는 말이라고 볼 수 있다. 많은 신문사들의 아동용 끼워팔기 신문이 "소년 00일보" 인 이유도 이것. 소년과 소년병에 여성도 포함되는 것이 바로 이것 때문이다.

가. 중학교 시절

1964년 경포중학교[46]에 입학했다. 경포중학교는 용강동에 위치한 학교로 입학시험을 보던 시절에는 굉장히 들어가기 어려운 학교로 통했다. 본관 오른쪽에는 강릉사범부속국민학교가 위치했고 오른쪽

---

45) 소년, 소녀로 있는 기간. 일반적으로 아동기(兒童期)의 후반, 즉 만 열두 살에서 스무 살까지의 아동을 가리킨다.

46) 경포 중학교(鏡浦中學校)는 강원특별자치도 강릉시에 있는 공립 중학교로 1962년에 개교하였다.

에는 강릉고등학교가 위치해 있었다.

나는 입학 성적은 전체 7등으로, 1학년 1반 특수반에 배치되었다. 정인진 교장선생님이셨고, 담임 선생님은 수학과목으로 정상시 산또(さんとう)선생님이었다. 왜 별명이 그런지 알 수 없지만 수학 시간에 '에또(ええと)' 와 '산또' 라는 말을 많이 사용하는 바람에 그렇게 불렀던 것 같다.

방과 후에는 몇 명이 모여 주로 공차기와 찜뽕놀이를 많이 했다.

교과서에 실렸던 찜뿌놀이 삽화(이희환 인천대 인천학연구원 학술연구교수)

결과적으로 비싼 장비가 많이 사용되는 야구를 할 수 없었던 어려운 시절. 공 하나로 즐길 수 있었던 간이 야구놀이 찜뿌는 우리

나라에서 뿐만 아니라 일본의 마을 어귀에서도 크게 흥행했던 운동 겸 놀이문화였다는 사실을 알 수 있다.

나이 지긋한 한국 여성들이 기억하는 추억의 놀이 '고무줄' 처럼 과거 어린 남자애들의 전유물이었던 '찜뿌, 찜뽕' 이란 당시 놀이문화 겸 골목 스포츠를 국내 최초로 학술적 고증을 통해 정리했다는 점에서 큰 의미가 있다.[47][48]

나. 운동(運動)

중학교 1학년 말쯤 신윤호 체육선생님이 불러 교무실로 갔는데, 기계체조부에 들어가라는 것이었다. 신윤호선생님을 경희대학교 체육과를 나오셨는데, 체조를 전공하신 분이었다. 그당시 학교 운동부는 필드하키부, 야구부, 기계체조부가 있었다. 1962년 3월 7일 개교했는데, 기념식 겸 푸짐한 시상품[49]을 걸고 마라톤 대회를 열었

47) 시대일보. 인천대 이희환 교수, 추억의 스포츠 (찜뿌, 찜뽕) 연구논문 화제, 2021. 8. 5.
48) 원세개는 중국무술을 '삼십육계'라는 명칭으로 칭했었고, 자신이 조선에서 중국무술 '삼십육계' 중 조선인들에겐 그 절반인 '십팔계'만 가르친다고 청나라 관리 원세개가 발언한 것이 '십팔계'라는 명칭이 조선에서 등장한 유래라는 것이다.
49) 주로 대형 고무다라, 알루미늄이나 양은으로 만든 그릇 등을 시상했다.

다. 필드하키부 선발은 1등에서 10등 내에 들어온 학생에게 추천했다. 야구부는 초등학교 때 선수생활을 한 학생을 중심으로 선발했다. 난 그 당시 마라톤에서도 5위를 했으며, 국민학교 때는 야구선수를 했으니 선수로서는 적합했으나 특수반이었기에 체육선생님에게 이 핑계 저 핑계를 대면서 공부하는 쪽으로 마음을 굳혔다.

그런데 기계체조부는 반강제로 들어갈 수밖에 없었다. 다행히 2학 2학기 초 강릉상업고등학교 기계체조부가 없어지고 럭비부가 창단되는 바람에 다행히 운동을 그만두게 되었다.

그러던 어느 날 친한 친구 전송경이가 다가와서 중국무술 십팔기(십팔계, 산에서 십팔계를 수련한다고 해서 산팔계라고도 함)[50]를 배우자고 하여 방과 후에 호기심에서 따라가게 되었다. 교동 화장터 뒷산 공터에서 몇몇 학생이 연마하고 있었다. 사범은 강릉농업고등학교 2학년 전영복이었다. 그때 나는 태권도장에 다니고 있었는데, 3급을 소유하고 있었다.

구경하고 있는데 느닷없이 사범이 어떤 학생과 대련을 해 보라는 것이었다. 어쩔 수 없는 상황이라 맞붙게 되었다. 나중에 알게 되었지만 명륜중학교에 다니는 전영찬이었다. 약간 뜸한 상태에 있다가 내가 돌려차기로 상대의 얼굴을 가격하자 그 친구가 나가 떨어졌다. 일어나면서 울더라고. 하긴 중학생이니. 그 후로 태권도장과 병행해서 그 산팔계를 계속 연마하게 되었다

50) 우슈의 옛 이름도 18기이다. 88올림픽 이전까지만 해도 십팔기라 하면 쿵후를 떠올릴 정도였으며, 대한십팔기협회는 황주환 회장의 제자 최상철 사범에게서 중국무술을 배운 김광석이 쿵후를 베이스로 무예도보통지의 무술을 복원해 십팔기로 명명하고 세운 단체다. 대한십팔기협회 측의 주장에 따르면 1969년 서울 남영동에서 십팔기 도장을 열면서 시작되었다고 하지만, 당시 도장은 중국무술 도장이었다는 것이 정설이다.

3학년이 되었을 때 용강동에 중국무술 도장이 설립되었다. 장석민이라는 사람이 서울에서 3년 정도 본관에서 연마한 후 고향인 강릉에 개관한 것이다. 하여 심동섭이와 함께 입관하게 되었다.

이렇게 중국무술과 인연이 되어 고등학교 때까지 연마하게 되었다. 대한 중국십팝기 본관 공인 3단까지 취득하였다.

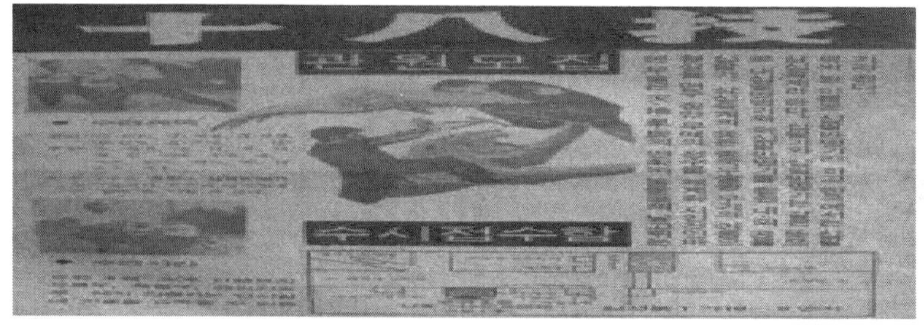

"십팔기(十八技)에 대한 단상!"

내가 처음 십팔기란 말을 접한 것은 1969년도로 기억한다. 나는 그 당시 몸이 좋지 않아, 살고 있던 대전을 떠나 충청남도의 소읍인 강경에서 10개월 정도 초등학교를 다니며 휴양을 한 적이 있다.

강경이란 도시는 지금은 새우젓으로 유명하지만, 그 당시는 이웃 논산에 기반시설을 다 빼앗기고 퇴락을 길을 걷고 있던 한적한 곳이었다. 그렇지만 한 때 강경은 금강이 흘러드는 내륙 포구였고 성어기인 3~6월에는 하루에 100여 척의 배가 드나들었으며 서해에서 나는 조기, 갈치는 모두 이 곳으로 입하되었다고 한다.

이에 힘입어 강경은 평양, 대구와 함께 조선 말 전국 3대 시장으로 명성을 떨쳤다. 이런 큰 상권 때문에 강경에는 많은 화교들이 살았고 그 곳에서 뿌리를 내렸다. 이 후 철로와 고속도로가 뱃길을 대신하고 금강 수운이 쇠퇴하면서 활력을 잃었지만 이미 그곳에서 뿌리를 내린 화교들은 꽤 많았다. 때문에 비록 소읍이지만 강경에는 타 도시에 비해 화교들이 많았다. 내가 초등학교를 다니던 그 때도 화교들이 많이 보였다.

실례로 한 달에 한 번씩 어머니께서 나를 만나시러 대전에서 강경에 오셨었는데 떠나시기 전에 꼭 역 앞에 있는 중국집에 데리고 가셔서 짜장면을 사주셨다. 그 집 주인에게 어머니께서는 "우리 아들이 오면 짜장면 무조건 주세요. 내가 한 달에 한 번 오니 그 때 마다 계산을 할께요." 하시며 부탁을 하신 기억이 생생하다. 이 곳 중국집 주인 역시 화교이며 그 주인집 아들하고 나는 같은 반 급우였다. 그런 이유로 그 친구와 나는 자주 어울렸다.

화교들은 한국 학교에도 다니지만 화교 학교에도 많이 다닌다. 한 번은 내 화교급우와 화교 학교의 운동회 구경을 간 적이 있는데, 대부분은 한국 운동회와 비슷했지만, 지금도 기억에 남는 것은 숟가락에 탁구공을 올려놓고 달리기 시합을 하던 광경이다. 중국의 특유의 성조와 왁자지껄한 시끄러움이 더해져 정말 '호떡집에 불났다' 라는 말이 절로 생각나는 모습들이었다.

방과 후 집에 가는 길에 종종 화교 학교 학생들을 보면 괜히 장난기가 발동했다. 특히 여학생들이 지나가면 그 장난기는 극에 달한다. 그 당시 화교 여학생들은 쌍갈래 머리를 많이 했던 것 같다. 우리가 짓궂게 여학생들의 쌍갈래 머리채를 잡아당기며 장난을 치면, 지나가던 화교 고등학생들이 우리를 나무란다. 그러면 지나가던 강경상고 형들이 중국 학생들을 몰매를 때리곤 하는 것이다.

한 번은 이런 일들이 크게 벌어져 양국 학생들 간의 패싸움으로 변한 적이 있다. 워낙 숫자에서 밀리는 화교 학생들이다 보니 항상 불리했다. 그런데 웬 자그마한 학생 하나가 당수(요사이 태권도)도 아니고 특이한 동작으로 여러 학생들을 때려 눕히는 것이 아닌가! 정말 경이로웠다. 내가 보기에도 너무나 잘 싸우는 것이었다. 마침 내 옆에서 구경하던 같은 반 급우 화교 학생에게 저 사람이 하는 무술이 뭐냐고 물어 보니 자랑스럽게 저거 우리나라(중국)의 국술인 십팔기란다. 이후 나의 머리에서 십팔기는 항상 맴돌고 있었다. 왜냐하면 그 당시 나는 몸도 왜소하고 너무 약하여 항상 남들의 보호 대상이었기 때문이다.

이것이 나와 십팔기와의 첫 만남이다. 그 후 나는 대전으로 다시

올라와서 중학교를 다니면서 뇌리에 강하게 남아 있던 십팔기를 배울 수 있는 곳을 수소문 했지만 찾을 수가 없었다. 그러다가 내가 중학교 3학년 때 처음 대전에 십팔기 무술관이 생겼고 나는 십팔기에 입문하여 10여 년 간 열심히 수련했다.

그 당시 십팔기는 '십팔계', '십팔반 무예', '십팔기 삼십육계' 등으로 불리면서 중국 무술의 대명사가 되었다. 지금은 널리 알려진 태극권을 그 때는 찾아 볼 수가 없었다. 주로 산동지역에 거주하던 화교 무술가들이 한국으로 이주하며 당랑권, 소림권, 팔괘장을 전수하였다. 이 후 십팔기는 이소룡의 등장으로 쿵후, 쿵푸로 불리다가 1992년 한중 수교 후 신 무술인 중국의 우슈의 등장으로 점점 쇠락의 길을 걷게 되었다.

현재 십팔기라는 명칭은 '무예도보통지'를 복원하여 가르치는 한국 전통무술 단체에서 사용하고 있다. 그리고 그 단체에서 십팔기라는 용어에 상표권을 등록하였다고 한다. 이젠 중국 무술에서는 십팔기라는 용어 자체를 사용할 수도 없게 되었다.

어린 시절 나에게 깊은 추억을 만들어 주었던 십팔기는, 이젠 한국에서 그 존재를 찾을 길이 없다. 몇 대를 전해 내려오면서 지금쯤 한국의 전통 무술로서 충분히 그 자리를 잡을 수 있을 터인데 말이다. 정말이지 너무나 아쉽다. 지금이라도 뜻있는 분들이 나서서 그 옛날 한국을 주름잡던 중국무술의 대명사인 십팔기의 명맥을 이어 나갔으면 하는 기대를 해본다.[51][52]

---

51) taij1429. 십팔기(十八技)에 대한 단상, 무술 이야기, 2008. 7. 12.
52) https://blog.naver.com/taij1429/110032897923.

다. 소년 시절의 놀이

나의 소년 시절에는 농촌뿐 아니라 도시에서도 놀이 공간이 허락되었다. 어른들이 놀이터라는 이름으로 따로 마련해 준 곳은 많지 않았다.

그러나 오히려 놀이공간이 풍부했다. 웬만한 곳은 아이들에게 열려 있어서 자유롭게 드나들 수 있었고, 지금의 아파트 주차장보다 훨씬 안전했다. 골목길, 공터, 담벼락, 장독대, 전봇대 등은 매우 훌륭한 유희공간이었고, 아이들이 놀기에 적합해 보이지 않는 야적장, 비탈길, 계단, 사다리, 나뭇가지 등이 놀이터로 변환되었다. 집 안에서 창고, 뒤뜰, 다락, 지하실 등에 비밀기지를 구축했고, 문짝이나 자전거(bicycle, 自轉車), 리어카(rear car)도 놀이기구로 과감하게 용도 변경을 했다. 조금이라도 빈틈이 보이면 아이들은 그것을 자기들만의 자유공간을 창조해냈다.

어린 시절 즐기던 그런 놀이[53] 속에서 아이들의 골격과 근육이 균형 있게 발달하고 기본적인 운동신경이 형성되었다. 넘어지고 다치고 깨지면서 무엇을 어떻게 조심해야 하는지를 자연스럽게 터득할 수 있었다.

친구네 집 앞에서 "순이야 놀~자" "철구야 놀~자" 라고 부르는 소리는 더 이상 들리지 않는다. 꼬마들의 함성 대신 기계음의 아이 목소리가 들린다. 휴대폰의 착신음으로 흘러나오는 "전화 왔어요~."

"다마치기(구슬놀이)!"

게임 방법은 구슬을 굴리거나, 던지거나, 떨어뜨리거나 또는 손가락으로 튕겨서 상대편 구슬을 맞춘다. 보통 미리 그려진 구역 안에 있는 구슬들을 쳐서 밖으로 내보내면 놀이에서 이기게 된다. 한

53) 술래잡기, 집잡기, 말뚝박기, 다방구, 자치기, 오징어놀이, 공기놀이, 고무줄놀이, 비석치기, 딱지치기, 구슬놀이, 팽이, 눈썰매, 굴렁쇠, 제기차기, 땅따먹기, 사방치기, 오재미, 쥐불놀이, 바람개비, 짬봉, 헤엄치기, 찐뽕, 땅따먹기, 숨바꼭질, 좆박기놀이, 말타기놀이, 안즐뱅이 놀이, 눈썰매 타기, 다마치기, 빠찌치기, 인형놀이, 무궁화 꽃이 피었습니다. 순이야 놀~자, 철수야 놀~자, 연날리기 등.

편 구슬튕기기는 집게손가락에 구슬을 대고 손가락이나 손 아랫부분을 지면에 대고 균형을 유지하면서, 엄지손가락으로 구슬을 튀겨서 밖으로 쏘아보내는 행위를 말한다.

우리 동네에 '구슬치기왕' 이라 불리는 이수철이가 있었다. 그 아이는 구슬치기에 있어서 백전백승이었다. 소위 우리는 그 아이를 '빵코' 라고 불렀다.

"빠찌치기(딱지치기)!"

가위바위보를 하여 진 아이가 딱지를 땅바닥에 놓으면, 이긴 아이가 자기 딱지로 땅바닥에 놓인 상대 딱지의 옆을 힘껏 내리친다. 이때 딱지치는 바람의 힘으로 상대 딱지가 뒤집히면 이를 따먹는데, 그렇게 하여 이기면 계속하여 딱지를 칠 수 있다.

그러나 상대 딱지가 뒤집히지 않으면 치는 순서가 바뀐다. 지역에 따라서는 미리 일정한 선을 그어놓고 상대 딱지가 선 밖으로 나가거나, 뒤집히거나, 제 딱지가 상대 딱지 밑으로 들어가면 따먹기도 한다. 이때 제 딱지가 상대 딱지의 위에 얹히면 도리어 잃게 된다.

딱지치기 외에 딱지를 가지고 노는 방법으로, 딱지에 그려진 군인의 계급이 높고 낮음에 따라 따먹는 방법도 있다. 딱지를 칠 때

자기의 발을 상대 딱지 바로 옆에 대면 딱지가 더 잘 뒤집힌다. 여러 형태의 딱지 중 방석딱지라 하여 사방을 일정한 길이로 접은 것은 뒤집힐 확률이 적다.

딱지 종이는 두껍고 클수록 유리하다. 이 놀이에는 승부가 따로 없으며, 상대의 딱지를 많이 따먹는 것으로 끝이 난다. 요즈음에는 두꺼운 종이를 접어 만든 딱지는 보기 힘들고, 상품으로 판매되는 딱지가 많이 사용된다.

종이로 만든 딱지를 땅바닥에 놓고 다른 딱지로 그 옆을 쳐서, 땅바닥의 딱지가 뒤집히거나 일정한 선 밖으로 나가면 상대방의 딱지를 따먹는 놀이이다. 상대 딱지가 뒤집히지 않으면 상대방이 딱지를 친다.

딱지(빠찌) 만들기는 종이가 두꺼우면 잘 뒤집히지 않아서 좋은 딱지인데 종이 두 장을 접어 만든다.

치는 방법은 옆을 쳐서 바람을 일으켜 상대방 딱지를 뒤집기도 하지만 위를 쳐서 함께 위로 튀어 올라 뒤집히게 치기도 한다.

딱지를 칠 때 발을 상대방 딱지 바로 옆에 대고 치면 더 잘 뒤집히는 수가 있어 주로 발을 대고 친다.

딱지를 일명 빠찌로 부르기도 하는데 지방마다 방언으로 조금 다르다.

제기차기 / 썰매(안즐뱅이) 타기 / 눈썰매 타기 / 딱지치기

"제기차기!"

제기는 엽전이나 구멍이 난 주화(鑄貨)를 얇고 질긴 한지나 비단으로 접어서 싼 다음, 가운데 구멍을 뚫고 양 끝을 구멍에 꿴 다음 그 끝을 여러 갈래로 찢어서 너풀거리게 한 것인데, 주로 정초에 많이 노는 어린이 놀이기구이다. 차는 방법은, 한번 차고 땅을 딛으며 연속으로 차는 것을 '땅강아지', 양발로 번갈아 가며 차는 것을 '어지자지', 땅을 딛지 않고 한 발로 계속 차는 것을 '헐랭이' 라고 한다.

이 밖에도 여러 가지 방법이 있다. 제기를 차는 방법은, 앞차기, 뒷차기, 양발 차기, 외발 차기, 발 들고 외발로 차기, 높이차 올리고 한 바퀴 돈 다음 다시 차기 등이 있다.

"썰매 타기!"

썰매는 얼음 위에서 타는 썰매(안즐뱅이), 눈 위에서 타는 눈썰매, 눈을 뭉쳐 상대방을 향해 던지는 눈(雪)싸움, 그리고 눈사람 만들기 등도 겨울이면 즐기던 놀이이다. 어린이들에게는 조금 어려운 놀이로 스케이트 타기도 있었는데 시골에서는 스케이트가 좀 비싼 편이라 돈 있는 집 아이들이나 탔다.

스케이트는 서양에서 전래 되었는데 국내는 물론, 세계 스케이트 내회가 열리기도 한다.

자치기(1) / 자치기(2) / 닭싸움 / 동차(굴렁쇠) 굴리기

"자치기!"

손에 들고 치는 막대기는 30cm 정도로 '채'라 하고, 막대로 치는 짧은 것은 7~10cm 정도로 '메뚜기'라고 하는데 메뚜기는 양쪽 끝부분을 비스듬히 깎아 채로 칠 때 튀어 오르기 좋게 만든다.

놀이 방법은 대체로 3가지인데, 메뚜기를 들고 치는 방법, 땅에 놓고 채로 쳐서 튀어 오르면 치는 방법, 땅에 약간 골을 파고 걸쳐 놓은 다음 채로 들어 올려서 치는 방법 등이다.

공격하는 사람이 쳐올린 메뚜기를 수비하는 사람이 미리 가서 기다리고 있다가 날아오는 메뚜기를 잡으면 공격자가 바뀐다. 수비하는 자가 잡지 못하면 땅에 떨어진 메뚜기를 집어들고 공격하는 사람이 있는 곳에 있는 지름 1m가량의 원(함정)을 향하여 던지는데 공격자가 받아쳐서 멀리 보내야 한다.

만약 받아치지 못하고 원(함정) 안에 들어오면 공격과 수비가 바뀌게 된다. 수비자가 함정을 향하여 던지는 메뚜기를 공격자가 받아치기에 성공하면, 날아간 거리를 측정하여 수비자가 '몇 자?' 하고 묻는데 공격자는 가늠하여 만약 '20자~'라고 하여 수비자가 긍정하면 그냥 넘어가지만, 그 정도가 되지 않겠다 생각하면 채로 직접 잰다. 만약 20자가 넘으면 인정, 혹시나 18자 정도밖에 안 되면 공격이 무효가 되고 공격과 수비가 바뀐다. 성공했다면 다시 공격하고....

보통 100자 내기를 하는데 먼저 100자를 채운 쪽이 승리이다.

"닭싸움(깨금팔이)!"

한쪽 다리를 허리로 들어 올려서 한 손으로, 혹은 양손으로 잡고 상대방을 밀거나 들어 올린 무릎으로 상대방을 쳐서 넘어지거나 잡았던 손을 놓으면 지게 되는 경기이다.

"동차(굴렁쇠) 굴리기!"

못 쓰는 자전거 바퀴의 고무를 떼어내고 막대기로 굴리는 것으로 동차, 혹은 굴렁쇠라고도 한다. 자전거 바퀴가 귀하니 대신 싸리나무를 잘라 묶어 둥그렇게 만들고 철사를 구부려 막대기에 박아 굴린다.[54]

아이들은 체육을 가장 좋아한다. 단순히 움직이고 싶어서가 아니다. 실내 체육으로 하면 시큰둥해한다. 햇빛을 보고 싶은 것이다. 햇볕을 쬐면 행복 호르몬인 세로토닌 분비가 활성화 된다. 요즘 아이들은 햇빛을 볼 일이 거의 없다. 소아 우울증이 많은 이유다. 아파트라는 콘크리트 상자에서 학교라는 콘크리트 상자, 도다시 학원이라는 콘크리트 상자로 왔다갔다 하다보니 햇볕을 쬐지 못한다.

"영희야 노~올자! 준수야 노~올자!

햇볕을 맛껏 쬘 수 있는 실외 체육을 좋아할 수밖에 없다. 아이들을 보기가 참 딱하다. 부모들이 알아줬으면 좋겠다. 학원 공부를 줄여 주고 햇빛 속에서 아이들이 맛껏 뛰어놀게 해야 한다.[55]

54) 여행의 낭만. 우리나라 명절(名節)과 민속(民俗)놀이, 재미있는 민속놀이 모음, 2024. 3. 26.
55) 허윤숙, 장은석. 달고나와 이발소 그림. 경기: 시간여행, 2022: 162-163.

라. 그 시절에는

1964년 2월 초등학교를 졸업하고 한 학급 70명 중 절반 이상이 경제적 사정으로 중학교를 진학하지 못하고 집안 농사를 거들거나 아니면 기술을 배워 장래 나름대로 희망을 가꾸었다.

남학생들은 이발 기술, 양복 기술, 자전거 기술, 구두 기술과 자동차 조수, 자장면 배달, 신문 배달 등, 여학생들은 미용 기술, 양재 기술과 버스 차장, 전화 교환원, 식모 등으로 진로를 바꾸었다.[56]

여름에는 아이스케키통을 메고 아이스케키 장사를 하고, 겨울에는 저녁 무렵 "찰~떡" 하면서 찰떡 장사를 하던 시절이었다.

56) 1960년대 산업화와 도시화의 바람 속에서 농촌의 많은 소녀와 처녀들이 동생 학비 등을 벌려고 서울로 올라와 '공순이', '식순이' 로 불리며 저임금 공장 노동자, 식모, 버스 차장 등의 일자리를 잡았다.

온종일 딱딱한 책상에 앉아 있던 시절, 입시와 취업에 고민하던 시절, 모든 것이 낯설고 힘들어서 우울했던 사회 초년 시절, 또 연애라는 달콤한 이름으로 일어났던 불면의 날들. 이 모든 과정에서 두려움과 불안함이 기쁨을 앞질렀던 게 사실이다. 그 일들을 지금 되돌아보면 괴로움을 굵은 체에 쏙 빠져나간다.

우리는 항상 과거의 좋은 일만 기억하는 경향이 있다. 그리고 다른 사람의 삶을 동경한다. 특히 도시 사람들은 전원생활에 대한 환상이 있다. 겪어보지 않았으니 관념 속에만 존재하는 생활이다.

그들은 말한다.

"아파트에 화단 가꾸면 되지, 뭐 하러 텃밭을 가꿔요. 벌레가 얼마나 많이 생기는데요. 그리고 손이 얼마나 많이 가는지 알아요? 그놈의 잡초는 말할 것도 없고요. 잡초를 뽑고 돌아서면 또 자란답니다."

여름밤이면 가족끼리 밤하늘의 별을 헤아리면서 나누던 소박한 대화들, 골목길 담장에 벽돌로 써 놓은 낙서들, 공터에서 날리던 누런 흙먼지의 냄새, 이 모든 것이 지금은 없어서일까. 모두 눈물 나게 그리울 때가 있다. 과거는 그리워하는 것으로 족해야 하는 걸까.

참 다행이다. 과거가 있어서. 현재가 힘들 때 견딜 수 있는 아름다운 추억이 있어서, 또한 다행이다. 현재가 힘들 때 그래도 과거보다는 지금 나아졌다고 생각할 수 있어서. 과거는 이렇게 여러모로 쓰인다. 눈물 나도록 과거가 그립지만 참을 수 있다. 그리고 아름다운 과거가 될, 오늘을 또 살아야겠다.[57)]

소년

윤동주

여기저기서 단풍잎 같은 슬픈 가을이 뚝뚝 떨어진다. 단풍잎 떨어져 나온 자리마다 봄을 마련해 놓고 나뭇가지 위에 하늘이 펼쳐 있다. 가만히 하늘을 들여다보려면 눈썹에 파란 물감이 든다. 두 손으로 따듯한 볼을 쓰어 보면 손바닥에도 파란 물감이 묻어난다. 다시 손바닥을 들여다본다. 손금에는 맑은 강물이 흐르고, 맑은 강물이 흐르고, 강물 속에는 사랑처럼 슬픈 얼굴—아름다운 순이의 얼굴이 어린다. 소년은 황홀히 눈을 감아 본다. 그래도 맑은 강물은 흘러 사랑처럼 슬픈 얼굴—아름다운 순이의 얼굴은 어린다.[58]

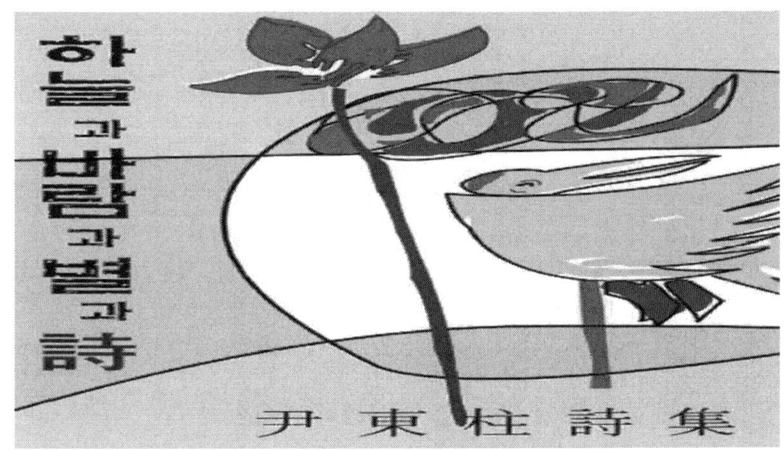

57) 허윤숙, 장은석. 달고나와 이발소 그림. 경기: 시간여행, 2022: 197-198.

58) 다른 시와는 다르게 문어체로 붙여쓴 작품으로, 윤동주의 다른 작품과는 다르게 잘 알려지지 않은 편이라 이색적으로 느껴지는 작품 중 하나. 투명하고 아름다운 언어로 쓸쓸하지만 원숙한 노스텔지어적인 분위기를 잘 표현한 작품이다.

목단의 추억!

선생님이 새로 왔다. 처녀 선생님이다. 4학년 2반 담임이 되었다. 세상에, 우리 반이다. 첫날, 교실 문이 열리고 단정하게 빗어 넘긴 까만 머리에 하얀 원피스가 교실 안으로 성큼성큼 들어왔다. 마치 햇살이 걸어 들어오는 듯 눈이 부셨다. 성덕국민학교에서 왔다고 했다. 낮은 톤의 조용하지만 단호한 목소리였다. 그의 예리하지만 선량한 눈동자가 내게 머물렀을 때 숨이 멎을 것만 같았다. 그의 입꼬리가 살짝 올라갔다. 순간 심장이 심하게 방망이질을 시작했다. 얼굴이 화끈거렸다. 내가 왜 이러지? 바람이 심했던 지난 일요일, 쑥 캔다고 뒷동산에 올라가 하루 종일 쭈그리고 앉아 있었던 게 무리였나 보다. 틀림없이 그때 감기에 걸린 게다. 나는 나의 감기가 창피했다. 들킬까 봐 선생님의 눈빛을 피해 빠르게 고개를 옆으로 돌렸다. 내 짝꿍 철수가 보였다. 철수 얼굴이 벌겠다. 내 앞에 앉은 중구도 그 앞에 앉은 희태도 모두 고개가 떨구어져 있었다.

그날부터 학교 가는 것이 제일 즐거웠다. 밤이 그렇게 길게 느껴질 수가 없었다. 때로 아부지와 엄니가 산에 나무를 하러 가면 동생을 돌봐야 했다. 그런 날은 학교에 갈 수가 없다. 짜증이 나고 속이 상했다. 동생이 똥을 쌌는지 울어댔다. 포대기를 풀고 방에 눕혔다. “이 가시나야, 니 땜시 나가 핵교도 못 가고이, 니는 똥까지 퍼 싸놓고 뭐 잘했다고 울고 지랄이냐, 지랄이?” 똥오줌으로 범벅이 된 천 기저귀를 빼내는데 동생이 발길질을 해댄다. 동생 발에 묻은 누런 똥이 내 손을 스친다. 엄마 젖만 먹고 사는 애가 웬

똥 냄새가 이리 진한지. 똥을 닦아내고 새 기저귀를 채워 다시 엎는다. 마당을 왔다 갔다 하며 동생을 재운다. 해 질 무렵, 나무를 등에 가득 실은 아부지 엄니의 긴 그림자가 마당에 들어선다.

선생님이 자취하는 집 마당에는 목단밭이 있었다. 두 줄씩 40그루 정도 심어진 목단 사이로 사람이 지나갈 수 있게 통로를 만들어놓았다. 5월, 자주색 목단이 봉오리를 열고 활짝 피기 시작할 무렵 선생님이 뜬금없이 나를 불렀다. "야야." 나는 놀라 말을 더듬으며 물었다. "지, 지요?" 아이들이 선생님과 나를 번갈아 보았다. "도둑질하다 걸린 거 맹기로 뭘 고로코롬 놀란다냐? 니, 내일부터 우리 자취집 목단꽃 잔(좀) 끊어다가 선생님 책상에 꽂아둔나."

나는 그날 이후 학교 가는 아침 길에 선생님 자취집에 들렀다. 초록색 잎들 위로 피어난 목단 밭은 꿈같았다. 자줏빛 비단결의 목단꽃을 잘라 학교로 가는 길에 철수를 만났다. 중구와 희태도 만났다. 그 아이들은 나를 째려보고 목단을 째려보기를 반복했다. 지들이 아닌 내게 그런 심부름을 시켰다고 시샘하는 게 분명했다. 유리병에 물을 채워 선생님의 책상 위에 꽂았다. 눈을 감고 코를 가까이 대고 흡입하듯 냄새를 맡았다. 목단꽃의 색처럼 진한 그 향기에 머리가 핑 돌고 정신이 아찔했다.

"언니, 그래서 그 선생님하고는 어떻게 됐어?" 내가 물었다. "그게 끝이야. 선생님은 다른 반 담임이 되었고 나는 중학교에 갔지." "그게 다라고?" 괜히 내가 더 아쉽다.

마당에 핀 목단꽃 사진을 찍어 언니에게 메시지로 보냈다. 언니는 건강 상태가 좋지 않다. 위로 겸 꽃 보라고 사진을 보냈더니 당장 전화가 왔다. “야, 너무 이쁘다. 내가 목단만 보면 초등학교 때 우리 담임 선생님 생각이 나야. 니, 목단꽃에 얽힌 내 추억 한번 들어볼래?” 전화 끝으로 들려오는 언니의 목소리에 홍분과 그리움이 묻어 있었다. 그렇게 목단에 얽힌 언니의 추억을 듣게 되었다. 선생님에게 주려고 목단밭에 서 있던 나의 애틋한 어린 언니 그려본다. 무슨 드라마나 어느 옛 소설에서나 있을 법한 이야기다. 언니 생각을 하니 나도 모르게 “풉” 하고 웃음이 난다. 너무나 착한 우리 언니. 동생들을 업고 키운 우리 언니다. 강화에 한번 놀러 오라고 해도 몸이 아프니 집 밖에 나가는 것도 일이다.

며칠 전, 언니의 모교에서 내게 강연 요청이 왔다. 형에게 그 소식을 전했다. 언니는 뛸 듯이 좋아했다. 언니도 가고 싶다고 했다. 그럼 같이 가자고 제안했다. 그랬더니 엄마도 가시고 싶단다. 아픈 두 사람을 모시고 거의 땅끝까지 차를 몰고 가게 생겼다. 그래도 좋다. 아버지가 손수 지었던 고향 집에도 가보고 마을 길도 걸어보고 우리 집 뒷동산도 가보자고 서로 약속했다. 우리 셋이 이렇게 여행을 하는 것은 처음이다. 어쩌면 마지막이 될지도 모른다.

어느새 자줏빛 목단 꽃잎이 떨어져 풀 위에 누웠다. 7월이 기다려진다.[59]

59) 김금숙. 목단의 추억, 한겨레, 2021. 5. 16.

마. 힘들었던 손모내기

물못자리에서 모를 쪄 손으로 줄모 벌모를 심었다. 통일벼는 보온절충못자리에서 모를 쪄 손으로 줄모를 심었다. 1980년대 중반부턴 전 면적에 기계모내기를 한다.

1950년대 위촌리에서는 물못자리에서 모를 키워 손 모내기를 하였다. 손 모내기의 시작 시기는 알 수 없으나 끝은 79년 기계 모내기가 시작되어 80년대 전 면적에 보급될 때까지 손 모내기를 하였다. 손 모내기는 못줄을 대고 모를 심는 줄 모내기와 마음대로 심는 벌모가 있었다.

농사를 많이 짓는 집에는 큰 머슴, 작은 머슴 두고 농사를 지었다. 물못자리를 설치하고 나면 모내기할 준비에 바빴다. 잘 썩은 퇴비와 외양간두엄의 운반 수단은 지게에 지고 가거나 소 질매 실어 논에 운반하였다. 논에 고루 뿌리고 쟁기로 논을 갈았다. 들판의 논은 냇가에 보를 막아 물을 넣었지만, 지대가 높은 다랑논은 비가 조금이라도 내리면 논둑부터 단단하게 바르고 논물 가두기를 하였다.

손 모내기는 못자리 설치 후 45일경인 6월 상순에 모내기를 시작 하였다. 하지 전 3일 후 3일을 모내기 적기로 보았다. 이때가 되면 들판마다 "이라 낄낄" 소 부리는 소리로 시끄러웠다.

동네에서 집집마다 모내기 날짜를 정하여 품앗이로 하였다. 컴컴한 이른 새벽부터 모를 쪄서 한 줌씩 볏짚으로 묶었다. 헌 가마니에 새끼줄을 묶어 모춤을 싣고 다니면서 논에 고루 던져 놓았다. 모를 잘심는 사람은 하루에 130여평을 심었지만 못 심는 사람은 70여평 정도를 심어 평균 하루에 100여평 심는다 하였다. 모내기를 처음 시작하여 동네 전체 모내기가 끝이 나려면 한 달 정도 걸렸다. 이때가 농사철 중에서 제일 바쁘고 물 논에서 일하여 많이 힘든 시기였다. 모내기 시작하고 삼사일은 허리 팔다리가 아팠으나 일주일이 지나면 몸이 풀려서 처음 같이 아프진 않았다. 그래서 계속 모내기를 하였을 것이다. 허리 아픈 것을 잊기 위하여 '학산오독떼기 노래'[60]등 모내기 노래를 많이 불렀다.[61]

한 사람이 먼저 부르면 받아 주는 사람들이 이어서 부르는 선.후창 형식으로, 논을 물을 대는 파래기에서부터 모를 속아 내는 모찌기, 재래식 우비인 도롱이를 쓰고 모심기 과정과 중간 중간 들녘에서 막걸리와 음식을 먹는 흥겨운 모습이 눈길을 끌었다.

강릉 학산오독떼기 모내기 재현[62]

학산오독떼기는 이른 봄에 씨앗을 뿌리고 여름에 가꾸어 가을에 타작에 이르기까지 모내기와 김매기, 벼 베기, 타작소리의 모든 과정을 행위와 노래로 보여 주는 토속민요다.[63]

1988년에 강원도 무형문화재로 지정된 학산오독떼기는 구정면 학산리 마을 사람들이 농사를 지으면서 부르는 농요(農謠)로 '들노

60) 1988년 강원도 무형문화재로 지정된 학산오독떼기는 구정면 학산리 마을 사람들이 농사를 지으면서 부르는 농요(農謠)로 '들노래' 또는 '농사짓기' 소리라고도 한다.

61) 학산오독떼기는 이른 봄에 씨앗을 뿌리고 여름에 가꾸어 가을에 타작에 이르기까지 모내기와 김매기, 벼베기, 타작소리의 모든 과정을 행위와 노래로 보여 준다.

62) 유형재. 강릉 학산오독떼기 모내기 재연, 연합뉴스, 2008. 5. 23.

63) 유형재. 강릉학산오독떼기 전승발표회, 연합뉴스, 2012. 12. 13.

래' 또는 '농사짓기' 소리라고도 한다.

잡가("…아이고나이디요…서럼에이요…")와 사리랑("에헤루 사리랑…")은 후렴구가 있으나 메기고 받는 형식으로 가창하지 않고 오독떼기처럼 선입후제창(先入後齊唱 : 독창 후에 더 긴, 제창부분이 나옴)한다. 논을 다 매갈 무렵의 쌈싸는 소리인 싸대는 메기고 받는 형식으로 가창되며, 그 받음구는 "에-, 에헤이루 싸대-야" 이다.

40년대 초반(일제 강점기 때)에는 강제로 줄 모내기를 시켜, 8.15 광복되면서 못줄을 던지고 벌모를 심었다는 말도 있었다. 50년대 정부에서 줄 모내기를 권장하였으나 인력, 못줄 부족으로 벌모를 많이 심었다. 모를 심는 일꾼이 적은 집은 십여 명, 많은 집은 이십 명도 넘었다. 굶기를 밥 먹듯이 하던 아이들, 집에서는 밥을 못 먹었다. 엄마 아빠가 모내러 간 논에 찾아가면 꽁보리밥에 된장국, 무장아찌, 매운 장떡(밀가루에 된장 고추장으로 반죽을 하고 차조기 잎을 썰어 전같이 두껍게 부친 것)이 반찬이지만 배불리 먹을 수 있었다. 모내기 철은 동네 아이들은 잔치 기분이었다. 모심는 어른보다 따라온 아이들이 더 많았다. 모심기 노랫소리, 웃음소리, 애들 우는소리, 소 부리는 소리, 송아지 우는 소리로 온 들판이 무척 시끄러웠다.

62년 농촌진흥법이 제정되면서 농사교도소가 농촌지도소로 바뀌고 인력이 확충되면서 3~4개 읍면 당 지도소지소를 설치하고 3~4명의 농촌지도사를 배치 식량 증산, 의식주 생활개선, 학습조직체 육성, 농민교육 등 본격적인 농촌지도사업이 시작되어 쌀 증산의 기반을 다졌다.

한편으로는 쌀 소비량을 줄이기 위하여 혼식 분식을 권장하게 되었다. 이때부터 본격적으로 평당 포기수를 많이 심는 줄 모내기가 시작되었다. 못줄 양쪽 끝을 긴 막대에 묶어서 못줄을 감았다가 폭이 넓은 논에서는 풀고 좁은 논은 줄을 감아서 아이들이 긴 막대를 잡았다. 모를 한 줌 쥐고 못줄 앞에서 두 사람씩 붙어 서서 반대쪽으로 눈금에 모를 심어가다가 반대편에서 오는 사람과 만나면 한 줄 모를 다 심었다. 이때 아이들이 "야" "야" 소리치며 못줄을 넘겼다. "야" "야" 소리가 추가되어 들판은 더 시끄러웠다.

경제개발 5개년 계획을 수립하였고 농공병진 정책으로 하늘의 비만 바라보는 수리 불안전 천수답을 없애기 위하여 다목적 댐(소양강댐 준공 1973년 10월)을 막기 시작하였다. 선진국과 같이 기계화 영농을 위하여 600평 900평 단위로 경지정리를 시작하였다.

72년 통일벼 재배 첫해 일찍 모내기를 위하여 보온절충 못자리를 하였다. 북부지역인 상주 김천 등지에서는 1모작으로 6월 상순에 일찍 모내기를 마쳐 수량이 일반벼보다 2배 이상 생산되어 성공하였다. 경북 남부 일부 지역에서는 보리 후작 재배로 늦게 모내기를 하여 이삭이 늦게 패고 익지 않아 문제점이 많았다. 정부에서는 이듬해부터 식량 자급을 위한 통일벼 확대 재배에 모든 힘을 쏟아부었다.

적기 영농 추진과 통일벼 재배면적 확대를 위한 새벽 독려, 현지 중점지도 결과 77년에 쌀의 자급 달성으로 녹색혁명을 이룩하였다.

참이나 점심을 먹기 전에 밥 한술에 반찬을 얹어 논밭에 던지며 "고시네(고수래)" (귀신에게 먼저 바치기 위하여 음식을 조금 떼어 던지면서 하던 소리)라고 소리를 쳤다. 이때 아는 분들이 지나가면 서로 불러서 막걸리 한잔을 주고받으며 잠시 쉬면서 이웃 간의 정도 키워갔다. 이게 우리 농촌의 훈훈한 인심이 아닐까? 만날 때마다 주고받는 막걸리 한 사발은 벼농사의 신기술을 주고받았다.

60년대 중반까지는 소로 논갈이 쓰레질을 하였고, 후반부터 70년대는 경운기로 논을 갈고 로타리를 하여 집집마다 키우던 소가 없어졌다. 70년대 후반부터 트렉트가 논을 갈고 로타리를 하며 머슴이 없어졌다. 80년대 중반까지 손모내기를 하였으나, 기계모내기가 확대되면서 벼농사는 기계화가 되었다.

손모내기 할 때 같으면 지금은 모내기를 시작할 때이지만, 물못자리가 보온절충 못자리로 바뀌고 기계모내기를 하면서 요즘은 5

월 하순이면 모내기가 끝난다.[64]

바. 떡보리와 보리개떡

덜 익은 보리알을 가마솥에 넣어 불을 때면서 소금물을 뿌려 껍질을 말려 떡보리를 만들었고, 고운 보리겨에 사카린 술약을 넣어 솥에 쪄서 보리 개떡을 만들었다.

1950년대 위촌리의 모든 논밭에는 벼를 베어 낸 후 보리와 밀을 파종하였다. 습기가 많은 논에는 습기에 강한 밀을 심었다. 밀보리를 파종한 논과 밭에는 뚝새풀이 나서 농사를 짓는 농부를 힘들게

64) 유병길. 힘들었던 손모내기, 기계모내기로 바뀌었다, 시니어매일, 2021. 06. 08.

하였다. 메마른 밭에는 조금 적게 났지만, 습기가 있는 논에는 뚝새풀이 많이 나서 논바닥의 흙이 안 보이는 곳도 많이 있었다.

민족의 대명절인 설날이 지나면 먹거리 양식이 떨어져서 부잣집에서 장내 쌀을 빌리는 농가가 많아졌다. 농사가 적은 젊은 남자들은 머슴으로 들어가서 새경(일 년 동안 일한 대가로 주인이 머슴에게 주는 곡물)을 받으면서 아침에 일어나면 일하는 집에 가서 아침을 먹고 종일 일하고 저녁을 먹고 집으로 왔다. 상일꾼은 일 년에 새경으로 쌀 5가마 정도를 받아 가족들을 먹여 살렸다.

입춘이 지나 땅이 풀리면 온 가족들이 호미를 들고 논· 밭에 나가 쪼그리고 앉아서 뚝새풀을 뽑았다. 다리도 아프고 허리도 아

팠지만, 아이들도 할머니와 어머니가 하는 일을 도와드렸다. 양식이 떨어진 농가는 이때부터 들과 산에서 쑥 등 나물을 뜯어 먹고 살았다. 동네 초상집이나 잔칫집에 일을 하러 가서 전 한쪽이라도 먹을 게 생기면 엄마들은 먹지 않고 광목 치마폭에 숨겨 얼른 집에 아이들을 가져다주었다.

밀보리 이삭이 팰 때 뚝새풀도 꽃이 피고 밀보리가 익어서 베는 6월 상순경 뚝새풀도 씨가 익어 말라 죽었다.

5월 하순이면 햇볕을 많이 받는 밭둑 밑의 보리가 일찍 익었다. 노란 보리 이삭만 잘라 다래키에 담아 메고 와서 나무 막대로 타작을 하였다. 큰 가마솥에 불을 때면서 보리를 넣고 소금물을 뿌려가며 나무 주걱으로 저으면서 보리 껍질을 말렸다. 나무 절구, 디딜방아에 찧어 떡보리(설익은 보리의 알갱이)를 만들었다. 속껍질이 덜 벗겨져 거칠거칠한 떡보리로 보리밥도 지어 먹었고, 보리죽도 끓여 허기진 배를 채웠다. 봄부터 햇보리가 나오는 6월까지의 보릿고개는 너무나 높아 넘기가 힘들었다. 그때를 경험해 보지 않은 사람들은 상상도 못 할 것이다. 보리 밀 호밀 등 맥류는 망종(24절기

중 아홉 번째 절기)이 회갑이다. 망종이 지나면 줄기가 그냥 말라 밀 보리를 베었다.

배가 고플 때는 밀가루 빵을 집에서 쪄서 먹었다. 밀가루에 소다, 술약, 사카린을 넣고 반죽하여 몇 시간 두면 부풀러 올랐다. 이때 큰 솥에 물을 붓고 채반을 넣고 삼베 보자기를 펴고 반죽한 것을 고루 펴고 솥뚜껑을 덮고 불을 때어 빵을 쪘다. 김이 나고 조금 있다가 솥뚜껑을 열면 빵 특유의 냄새와 노랗게 부풀어 오른 밀가루 빵을 만난다. 부엌칼로 두부모 자르듯이 잘라서 한 덩어리 주면, 뜨거운 줄도 모르고 큰 구멍이 듬성듬성 난 밀가루 빵을 맛있게 먹었다. 부모님은 들일하러 가고 집에 없으니, 초등학교 다니던 여학생들은 누구나 빵을 쪄서 동생들과 같이 먹었다. 누나가 없는 남학생들도 밀가루에 술약을 넣고 반죽하여 조금 두었다가 밥솥에 들기름을 바르고 밀가루 반죽을 고루 펴 아궁이에 불을 지폈다. 잠시 후 부풀어 오르는 맛있는 빵이 되면 동생들과 나누어 먹었다.

기말기 정미소의 고병난 사장님은 보리를 찧을 때 처음 나오는 거친 껍질은 받아내고 나중에 나오는 고운 보릿겨를 따로 받아주었다. 밀을 빻을 때도 밀가루가 많도록 밀껍질이 벗겨져 누른 밀가루가 나올 때까지 빻아 주었다. 사모님은 정미소에 따라온 아이들에게 먹을 것을 주었다.

북바우 사는 김성길씨는 하곳길에 배가 고파서 힘없이 걸어오는데 주먹밥을 주어서 행복했다는 옛이야기를 하였다. 고운 체로 쳐서 밀가루같이 보드라운 보릿겨에 소다나 술약, 사카린을 넣고 반죽하여 몇 시간 발효시켰다가 삼베 보자기에 고루 펴서 밀가루 빵과 같이 쪘다. 김이 오르고 난 후에 솥뚜껑을 열면 밀가루 빵같이 많이 부풀어 오르지는 않고 검은색의 보리 개떡이 만들어져 칼로 작게 잘랐다. 고운 체로 쳤어도 밀가루같이 부드럽지 못하여 딱딱하고 까맣고 맛은 없었다.

사카린의 단맛과 배고픔에 요즘은 개들도 먹지 않을 보리 개떡을 많이 먹었다. 까만 보리 개떡은 가족끼리 논밭에 일할 때 새참으로, 어린애들은 군것질로 먹었다.

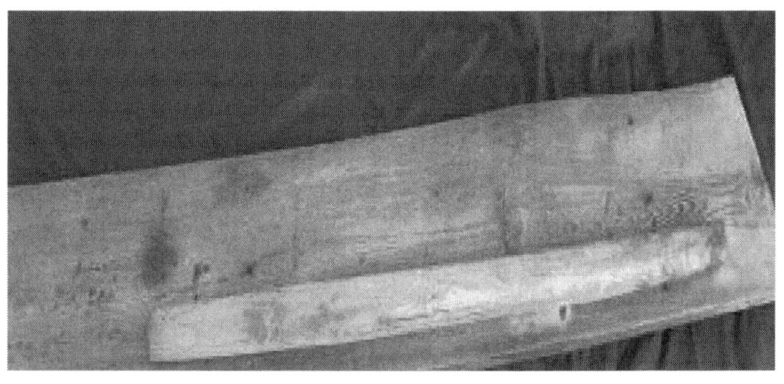

고운 보릿겨를 물에 반죽하여 밀가루 국수같이 홍두깨로 밀었다. 잘 밀리지 않아 두껍게 밀어서 칼로 썰어 삶으면 면발은 없고 끊어진 검은 국수가 되어 숟가락으로 떠서 먹었다. 그 보릿겨 국수도 마음 놓고 배부르게 먹을 수가 없었다. 자주 씻지도 않고 흙이 묻어 새까만 손으로 새까만 보리 개떡을 들고 흘러내리는 누른 코를 훌쩍거리며, 아껴 먹는다고 조금씩 떼어먹던 아이들의 모습이 눈앞에 아른거린다.

1970년대 통일벼 재배를 하면서 모내기를 일찍 하려고 밭에만 밀보리를 심었다. 뚝새풀은 70년대 중반까지 농업인을 괴롭혔다.

풀을 못 나게 하는 잡초 약이 처음 공급되면서 한풀 꺾이었다. 가을에 밭에 밀보리를 파종하고 잡초 약 입제를 300평당 1봉(3kg)을 뿌렸다.

뿌릴 때 습기가 맞은 밭은 거의 뚝새풀이 나지 않아 밀보리 농사도 쉬워졌다. 80년대 정부에서 보리 수매를 안 하면서 보리재배를 하지 않았다.65)

'노을 냄새' 가 나면 아이들을 부르는 엄마의 목소리가 들려왔다. "영식아. 와서 밥 먹어라." "순희야, 밥 먹어." 이 소리가 들리면 다들 놀던 판을 뒤로하고 한둘씩 집으로 뛰어갔다.

아이들을 집으로 불러 모으던 밥 냄새, 그때 집에 돌아와 밥공기를 팔에 끌어안고 우걱우걱 입에 퍼넣던 밥은 꿀맛이었다. 반찬이 뭐라도 상관이 없었다. 그때 밥을 안치던 밥솥은 인공지능 전기밥솥이 아니었다. 그저 무쇠솥이었다. 그런데도 요즘보다 훨씬 밥맛이 좋았다. 10년, 20년이 지나도 끄떡없는 무쇠솥. 그 변치 않는 든든함이 아쉽다. 그리고 노을이 지면 여기저기서 나던 밥 냄새가 그립다.

65) 유병길.꽃 피어날 추억-떡보리와 보리개떡-, 시니어매일, 2021. 05. 28.

그 당시 엿장수, 두부장수, 콩나물장수, 아이스케키장수가 많았다. 엿장수는 한 곳에 앉아 파는 좌상(坐商)과 엿목판을 가지고 다니며 파는 행상(行商)이다. 좌상은 넓적하고 얄팍하게 만든 엿판대기를 장방형의 엿고리에 담아놓고 주문에 따라 쇳조각을 대고 엿가위 등으로 쳐서 떼어 판다.

나이 어린 엿장수들은 가락을 지어만든 엿이 담긴 목판의 좌우 양쪽에 천을 둘러 목에 감고 사람이 많이 모인 곳을 찾아다니며 팔며, 특히 겨울밤에는 "엿 사려." 하는 엿단쇠소리를 길게 늘이며 다니는 것이 보통이다.

시골에서는 현금 대신 곡식을 내어 엿을 바꾸어 먹기도 하였던 까닭에, 농촌으로 다니는 엿장수는 목판 밑에 직사각형의 대광주리를 받쳐 메고 다녔다. 또, 리어카가 들어오며 도회지에는 여러 종류의 엿이 담긴 목판을 늘어놓고 파는 행상이 나타났다. 이들은 현금뿐만 아니라 종이·쇠·빈병 따위의 고물을 받고 엿과 바꾸어 준다. 이때 엿의 양을 엿장수가 임의로 결정하기 때문에 '엿장수 마음대로' 라는 속담도 생겨났다. 한편, 이들은 겨울철 저녁 무렵이 되면 리어카에 아세틸렌으로 불을 밝혀 놓아서 도회지의 겨울밤 풍경을 아름답게 수놓기도 했다.

엿장수의 가장 두드러진 특징은 그가 들고 다니며 쩔꺽쩔꺽 소리를 내는 큼직한 가위이다. 이 가위는 엿을 떼어내는 일뿐만 아니라 사람을 불러 모으는 데에도 큰 구실을 한다. 또, 능숙한 엿장수는 가위다리를 서로 맞부딪쳐 내는 소리에 자기 흥을 담아 구성지게 노래도 부른다.[66]

짜장면의 추억

얼마 전부터 주위에 다큐멘터리「짜장면 랩소디」에 대해 이야기하는 사람이 많아졌다. 보고 나니 짜장면을 몹시 먹고 싶어져서 당장 동네 중식당에 배달시켜 먹었다거나, 시청하면서 짜장면을 먹으면 소스와 면의 다양한 결을 느낄 수가 있어 새로운 맛을 깨닫게 되었다는 등의 후기가 여기저기서 전해졌다. 후기와 함께 먹음직스러운 짜장면 인증샷도 심심치 않게 날아들었다. 대체 어떤 내용일까 궁금해졌다. 탐스러운 짜장면 인증샷의 물결에 동참하고 싶기도 했다. 그런데 막상 시청하고 보니 개인적으로 가장 마음에 남는 이야기는 다큐멘터리에 등장한 사람들이 전해준 짜장면의 추억이었다. 어릴 때 그토록 먹고 싶었던, 그러나 자주 먹을 수 없었던, 그렇기에 더욱 특별하고 짜릿했던 짜장면에 관한 각자의 아련한 기억.

짜장면은 오랜 시간 동안 한국인의 사랑을 받아온 음식이기에 드라마나 영화, 그리고 대중음악 가사에 심심치 않게 등장한다. 그 중에서도 특히 '짜장면' 하면 자동으로 떠오르는 가사가 있다. "어머님은 짜장면이 싫다고 하셨어." 가수 지오디의 데뷔곡이었던「어머님께」에 반복적으로 등장하는 구절이다. 이렇게 떼어놓고 보면 그저 화자 어머니 취향에 짜장면이 맞지 않았다고 오해할 수도 있으니 앞뒤 가사를 함께 살펴보자. "어려서부터 우리 집은 가난했었고 (중략) 어머님이 마지못해 꺼내신/ 숨겨두신 비상금으로 시켜주

66) Daum 백과. 엿장수, Daum, 2024. 5. 24

신/ 짜장면 하나에 너무나 행복했었어/ 하지만 어머님은 왠지 드시질 않았어/ 어머님은 짜장면이 싫다고 하셨어." 비상금으로 자식에게 짜장면 한 그릇 시켜주고서 그마저도 먹는 아이 마음 불편할까봐 '짜장면이 싫다' 며 양보하신 어머니. 특별한 날 온 가족이 함께 먹는 짜장면의 추억조차 허락되지 못했던 화자의 회한(悔恨)이다.

반대의 경우에는 어떨까? 재벌과 서민이 우연히 만나 연애하는 로맨틱코미디 장르에서 재벌 캐릭터가 떡볶이로 대표되는 '길거리 음식' 을 생전 처음 먹어보는 경험을 하는 장면은 장르적 클리셰로 흔히 등장한다. 짜장면에 대해서도 계층에 따른 차이가 있을까? 현대사회에서 먹고, 마시는 등의 음식 소비 행위와 이를 둘러싼 의례는 과거 전통사회와 비교하였을 때 훨씬 더 문화적이고 상징적인 성격을 가지는 방향으로 변화해 왔다.

음식 소비 행위는 단순히 음식물에 담긴 영양 요소를 섭취하는 것을 넘어 어떤 음식을 소비하는지, 어떤 식당에 방문하는지, 혹은 어떤 음식을 접해왔는지 등과 같은 음식의 상징적 의미까지 편입시킨다. 이는 결국 음식 소비 행위가 개인의 주체성 형성은 물론, 그를 특정 집단이나 문화에 포함, 또는 배제시키는 수단으로 활용될 수 있음을 의미한다.

매우 유복한 성장기를 보냈던 지인 몇 명에게 짜장면과 관련하여 어떤 추억이 있는지 물어봤다. 놀랍게도 질문을 받은 사람 모두 짜장면과 관련한 어떠한 추억도 없다고 답변했다. 드라마의 재벌 캐릭터처럼 서민층의 연애 상대를 만나기 전까지는 입에도 대보지 못했다는 의미가 아니었다. 오히려 짜장면은 어떤 추억을 이야기할 정도로 특별한 음식이 아니었다는 뜻이었다. 특별한 날이 아니라도 먹고 싶으면 언제든 먹을 수 있는, 그렇기에 딱히 기억에 남을 만한 스토리도 없는 그런 음식 말이다. 짜장면처럼 대중적인 음식조차도 계층의 경험 차이는 완전히 지우기 어려운 듯하다.[67]

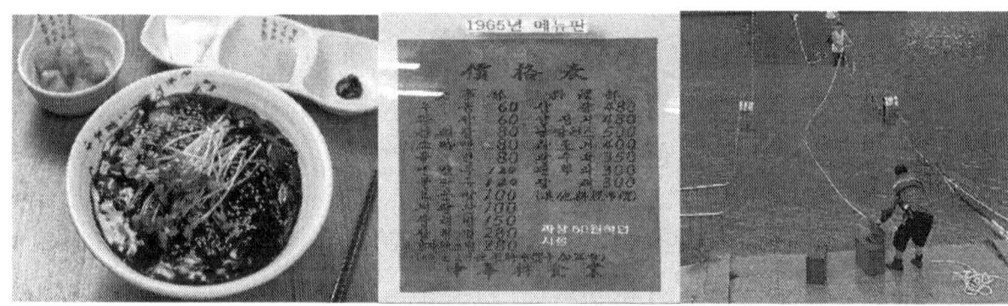

어머니는 하루가 멀다고 쪽마루에 앉아서 홍두깨를 누르는 손이 보이지 않을 정도로 빨리 밀가루 반죽을 밀으셨다. 칼국수를 쓸 때도 칼등이 보이지 않을 정도로 곱게 쓸어서 여섯 식구가 다 먹을 수 있는 칼국수를 만드시는 모습이 지금도 선하다.

우리는 오늘 색다른 맛을 보기 위해 칼국수를 만들었다. 그러나 어머니는 아니었다. 양식을 조금이라도 절약하기 위해 칼국수를 만들었다. 나는 어렸을 때 뽀얀 밀가루를 먹어 본 적이 없다. 우리는 항상 누런 호밀만 먹었다. 지금이야 호밀이 영양식으로 대접받고 있지만, 그때만 해도 호밀은 가장 싫어하는 음식 중의 하나였다. 이틀이 멀다고 먹어댔으니 말이다. 나는 대접에 칼국수를 가득 담았다. 국물이 시원했다. 재첩, 멸피, 호박, 감자, 대파, 매운 고추 약간 넣었으니 칼큼하기도 했다.[68]

67) 김은정. 짜장면의 추억, 충북일보, 2024. 02. 26.
68) 강영란. 삶, 행복 그리고 사랑, 서울: 부크크, 2022: 131.

천대받은 놀이의 배신!

어릴 적, 대부분의 사람은 먹고 자는 것 외에 많은 시간을 노는 데 몰입했을 것이다. 나의 어린 시절의 삶도 놀이 그 자체였다. 산과 바다의 온갖 것들이 나에겐 즐거움이었고, 그 자연의 즐거움에 낙천적 성격이 보태지면서 나에게 재미와 유머는 일상이 됐다. 그러나 놀이가 공부와 일의 여분일 뿐이고 시간 낭비라는 인식이 사회 저변에 짙게 깔렸다는 것을 알아채는 데 그리 오래 걸리지 않았다. 자본주의는 생산성을 높이고자 인간의 생산적인 효과성을 따져야 했고 비생산적인 놀이는 무가치한 것에 불과하다고 여겼다. 압축개발성장과 물질문명의 발전은 놀이의 상실을 가속했다.

하지만 천대받은 놀이는 인간을 배신하기에 이르렀다. 역사상 가장 풍요로운 시대를 살고 있지만, 삶의 질은 나빠졌다. 놀이가 상실됐기 때문이다. 놀이의 가치를 접할 기회가 차단된 상황에서 그 빈틈으로 스멀스멀 침투해 들어온 것은 시장의 논리다. 휴식, 즐거움, 재미는 타인과의 비교를 통한, 타인의 욕망이 투영된 소비문화로 전락한다. 놀기 위해 끊임없이 노동해야 하는 아이러니한 상황이 연출되고 있는 것이다. 놀이의 상실은 타인의 고통을 즐기고 폭력과 놀이를 구별하지 못하는 반사회적 인격장애를 양산했다. 많은 청소년이 타인을 상대로 한 패드립과 혐오발언, 집단 괴롭힘, 불법촬영과 디지털 성범죄 등의 잘못을 인식하지 못하고 인싸 문화, 놀이 문화로 소비하고 있다. 학교 내에서 불법촬영 혐의로 경찰에 체포된 19세 이하 청소년의 디지털 성범죄가 해마다 늘어나고 있다는 경찰청 조사를 통해 그 심각성을 알 수 있다. 더 나아가 수익을 위한 수단으로 사용되면서 마치 그러한 행위가 용인된 것처럼 죄책감 없이 급속도로 퍼져갔다. 놀이 또한 사회적인 관계 속에 위치해 있다는 것을 망각한 탓이다.

놀이에 있어 경쟁, 인정욕구와 성취감은 중요한 요소로 간주된다. 하지만 천대받은 놀이는 잘못된 인정욕구와 성취감을 배태했고 인터넷이라는 공간은 순식간에 효율적으로 응답, 인정, 성취감을 얻을 수 있다는 점에서 놀이의 배신을 더욱 확장하는 역할을 하고 있다. 노르베르트 볼츠가 <놀이하는 인간>에서 생산과 소비의 시대를 넘어 21세기는 놀이의 시대가 되리라 전망했지만 여전히 우리는 20세기 한계를 벗어나지 못하는 형국이다.

늦었지만 이제라도 어떻게 하면 잘 놀 수 있을 것인가를 질문해야 한다. 1930년 경제학자 존 메이너드 케인즈는 100년 후인 2030년에는 주당 15시간 일하고 여가를 어떻게 보낼 것인가가 인류의 과제가 되리라 예측했다. 물론 2030년까지 10년이 채 남지 않은 상황에서 주당 15시간이라는 예측은 거의 빗나갔지만, 여가의 중요성에 대한 함의는 여전히 유효하다. 이제 놀이는 일의 여분에 행해지는 것이 아니라 인간의 본질로서 설명될 수 있으며 완전한 인간을 추구하기 위한 요소로 인식돼야 한다.

요한 호이징하((Johan Huizinga)는 "놀이는 문화보다 더 오래된 것" 이라고 말한다. 천대받은 놀이의 배신은 얼마든지 인간을 파괴할 수 있다는 점에는 놀이는 문화보다 더 강력한 힘을 가졌는지 모른다. 빼앗긴 놀이를 본래 놀이하는 존재인 인간에게 돌려주고 우리 삶의 일상으로 복원해야 한다. 일하지 않을 권리를 말하는 것은 아니다. 물질적 풍요로움에도 불구하고 여전히 우리가 행복하지 않은 이유가 무엇인지 고민하자는 것이다. 그동안 우리 삶을 불행하게 했던 낡은 기준에서 벗어난 놀이를 창조할 수 있으면 더할 나위 없이 좋겠다. 쓸모없는 취급을 받는 놀이에 대한 반론이 필요한 시점이 아닐까 싶다.

어릴 적 동네 골목마다 달고나 좌판이 있었다. 가격은 한 국자에 5원이었다가 나중에 10원으로 인상되었다. 달고나값 인상은 당시 고속 인플레이션을 고려한다 해도 너무했다. 하지만 돈이 없어도 구경꾼 자격으로 그 판에 낄 수 있었다. 이때 연탄 화로를 중심으로 둥그렇게 모여든 모습이 김홍도의 씨름판 그림 같았다.

어린 시절 놀거리인 달고나 제작 과정은 그 자체가 하나의 공연이었다. 주문이 들어오면 물속에 담가놓았던 찌그러진 양은 국자를 꺼낸다. 먼저 연탄불에 국자를 올려놓고는 누런 설탕 한 수저를 넣는다. 이때부터 뜨거운 불 위에서의 용틀림이 시작된다. 설탕이 녹고, 끓어, 졸아들며 국자 가장자리에 있던 설탕이 가운데로 미끄러져 들어간다. 이때 젓가락으로 휘저어주면 설탕이 짙은 갈색으로 변한다. 설탕이 까매지기 직전, 이때가 이 판의 백미다.

발락고개 3

구부러진 몸으로 기어오르는
발락고개
등짐을 져본 사람은 안다.

마른 풀 한 개 더 없으면
땅 속으로라도 기어들 것 같은
손마저 잡을 데 없는 발락고개

그래도 부모 형제와 함께한
그곳이 그리워지니

오랫동안 지내 오면서 생긴
사랑하는 마음과 친근한 마음을
내 어찌 잊으리오

뛰놀던 벗들은 다 어디 가고
골타르 냄새만
코 끝을 스치네

4. 청소년기(Adolescence, 靑少年期)[69]

청소년기는 사춘기, 또는 생식 능력의 획득으로 대표되는 신체상의 변화로 볼 수 있으며, 또한 신체의 성숙뿐만 아니라 심리적, 사회적, 정신적 변화를 포괄하는 시기이다.

청소년기에는 아동기에 잠복되어 있던 성적 욕구가 폭발적으로 분출한다. 이 시기에 개인은 자신의 성적 충동을 억제하고 다스리는 법을 터득한다. 이와 함께 개인은 청년기에 부모로부터의 정서적으로 독립하기를 원하며 이것은 자기다움을 찾으려 하는 반드시 거쳐야 할 단계이다.

개인은 독립과 자주성 획득이라는 전혀 새로운 의무를 안게 되며 또 역할이 분명한 아동기·성인기와 달리 이 시기의 개인에게는 확실한 의무가 없다. 이와 같은 요소들이 청소년기를 규정한다. 여기에 어떻게 반응하는가에 따라 개인의 성년기가 일정 부분 결정된다. 청소년기는 여러 가지 독특한 행동 양식이 나타나고 긴장과 스트레스가 잇따를 수도 있으나 별다른 고통 없이 자연스럽고 평화롭게 진행되는 경우도 있다.

가. 고등학교 시절

1967년 2월 경포중학교를 졸업하고 3월 2일 강릉고등학교에 입

---

69) 13세에서 20세 전까지의 시기. 청년기의 전기에서 중기에 이르는 시기로, 신체적, 생리적 변화가 급격히 일어나고 지적 호기심이 왕성해지며 가치관의 기초가 형성된다.

학하였다.

고등학교 입학과 동시에 학교 규율부(規律部: 학교나 단체 따위에서, 규칙을 지키도록 지도하고 단속하는 부서)와의 만남으로 시작된다. 교복을 입고 다니던 시절이라 학교 정문 앞에는 늘 규율부가 복장 검사를 유심히 하곤 했다. 그때는 규율부 선배들이 무섭기도 했지만 멋져 보였다.

모든 학교는 아침 등교 시간에 규율부는 교문에서 지각한 학생들을 단속했다. 등교 때마다 규율부 학생들이 나와서 복장을 검사했다.

학생회장 선거는 선거 운동을 통해서 전교생이 투표를 했는데, 학생회장 당선자가 학생회 간부를 지명했다. 대대장과 규율부장이 최고의 인기였다.

복장 위반이 되면 되돌려보내거나 엎드려뻗치기기를 해서 푸시업을 여러 번 반복한 다음 '한 번 봐준다' 다는 말과 함께 정문을 통과시켜 준다. 어떤 때는 지도과 선생님들이 갑자기 교실로 들어와 소지품 검사를 하기도 했다. 그 당시 각 반에 담배 피우는 학생이 여러 명 있었었다.

학교 규율부

강원도교육청이 대회의실에서 1944~2008년재까지 교육활동 홍보사진과 추억의 교육관련 사진전 입선작 전시회를 개최한 가운데 1963년 고성 동광중학교의 규율부원들이 학생들의 복장 등을 점검하는 모습을 담은 사진이 눈길을 끌고 있다(강원도교육청 제공).[70]

"어느 학생의 이야기!"

변변치 못한 저에게 교지의「학습 체험기」를 쓰라기에 한참 도민하였습니다. 사실 문장력도 좋지 못하거니와 내 공부 방법에는 남다른 특색이 없기 때문입니다. 그렇지만 이글을 읽고 한 사람이라도 느끼고 마음을 새로이 다진다면 저는 끄것으로 만족하겠습니

70) 연합뉴스. 1960년대 "규율부의 사명, 2008. 11. 4.

다. 또한 이 기회를 나 자신 반성하는 계기로 삼아 보겠습니다.

올해 예비고사 응시인원은 약 57만명, 내년에는 60만명을 웃도는 숫자의 인원이 예비고사를 치르게 됩니다.

60만명이라면 어느 정도의 인원일까요? 자! 가지고 있는 영어 사전을 펴 보세요. 평생 여러분이 찾아도 다 찾아 보지 못할 단어가 수두룩히 있는 그 사전 어휘수는 고작 9만 정도. 그 사전의 7배에 달하는 인원이 예비고사를 치르게 된다니 생각만 해도 아찔하지 않습니까? 그만큼 우리는 경쟁속에서 살고 또 경쟁에서 이겨야만 되는 처지에 있는 것입니다.

앞서 말했거니와 내 공부 방법에는 특별한 게 없고 여러분이 익히 들어 알고 있는 것을 실천에 옮긴 것에 불과한 것입니다.

"예습·복습을 잘해라" "수업 시간에 열중해라" "공부하는 뚜렷한 목표를 세워라" 등등은 여러분이 여러 선생님에게서 또는 선배님에게서 귀아프게 들은 사실입니다. 그런데도 이러한 것들을 실천하지 않고 나는 왜 공부를 못할까? 라고 고민한다면 그것은 참으로 어리석은 생각일 것입니다.

저는 아침에 학교에 등교해서 그야말로 수업시간에 충실했습니다. 도한 쉬는 시간에는 버릇처럼 책을 펴 보았으며 학교 수업이 끝나면 곧장 집으로 돌아와 습관적으로 책상에 앉아 공부를 했습니다. 그랬더니 공부가 내 생활의 일부로 습관화 되었으며 공부하기 위한 마음의 자세가 잡히고 공부하는 이 한 가지에 정진할 수 있었습니다.

한편, 각 과목별 공부에 있어서 국어는 평소에 예습, 복습을 철

저히 해 두었습니다. 예비고사에는 1, 2, 3학년 교과서에서 고루 출제되기 때문에 어느 하나라도 소홀히 할 수 없는 것입니다.

수학은 평소 쉬는 시간에 열심히 한 문제 한 문제 풀어나갔습니다. 다른 학생들은 떠들고 있는 사이에 나는 한 문제를 풀면서 나만의 기쁨을 만끽하기도 하고 남은 떠들고 있는 사이에 나만 조용히 공부하고 있다는 것은 나는 그들보다 한 발짝 앞서 간다는 것을 의미하기도 해 나 자신 기쁘기까지 하였습니다.

그리고 문제를 푸는 데 있어서는 어려운 문제를 깊이 파는 것보다 객관식 위주의 여러 가지 문제를 푸는 것이 좋을 것 같습니다.

영어는 꾸준히 하루에 몇 시간씩 공부를 했습니다. 특히 영어는 대학교에서 뿐만 아니라 사회에 나가서도 필요한 것이기 때문에 꾸준히 반복 연습을 통해 단어 실력을 높여야 했습니다.

참고로 영어 사전 이용에 있어서는 어려운 발음이나 강세(accent), 철자 등은 빨간 볼펜으로 표시해 두고 좋은 문장도 표시해 두어서 쉽게 눈에 띄어 반복 학습에 하나의 도움이 되도록 했습니다.

끝으로, 어렵고 험난한 인생을 걸어가는 우리들에게 시행착오란 있을 수 없습니다. 또한 후회스러운 인생을 살아가고픈 사람은 한 사람도 없을 것입니다. 어렵고 고달픈 인생길이지만 우리들이 이 둘도 없는 학창 시절을 무엇인가를 위해 알차게 보낸다면 고달프지만은 아닐 것입니다.

오늘의 조그만 즐거움과 편안함을 참으면서 영광된 내일을 위해 영심히 하는 목고생다운 목고생이 됩시다(학교 수업을 충실, 장주영).

새벽 등교에서 야간 자율학습과 그 뒤에 이어지는 학원 수어까지 아이들은 종일 교실 안에 갇혀 공부하는 기계가 되어버린다.

그러나 공부를 위해 몸을 억류하는 것은 매우 어리석은 처사다. 치매를 예방하는 가장 확실한 방법이 운동이듯이, 신체를 움직이는 것은 두뇌활동을 촉진하는 방법이다. 뇌도 신체의 일부이기 때문에 피와 산소의 원활한 공급이 필수적이다. 특히 한창 두뇌가 발달하는 청소년기의 체육은 인지능력과 단기 기억력을 향상시킨다. 단순한 체력훈련도 도움이 되지만 스포츠 경기를 하게 되면 지능이 한결 복합적으로 발달한다. 정보처리능력, 사물과 공간의 지각, 전략적 사고, 신체제어 기능, 팀워크(협동정신)…. 많은 나라에서 엘리트의 필수 조건으로서 스포츠능력을 꼽는 이유도 바로 그러한 자질과 역량을 키워주기 때문이다.

체육은 신체의 단련만이 아니라 몸을 통한 자아의 발견과 교류를 매개하는 활동이어야 한다. 체벌과 규율의 통제가 아니라, 표현과 소통의 문화로 나아갈 수 있는 몸의 길을 스포츠가 열어 주어야 한다. 그렇게 해서 격이 높아진 신체는 곧 자존감의 토대가 된다.[71]

71) 김찬호. 생애의 발견, 서울: 인물과사상사, 2010: 29-31.

교련(敎鍊)은 고등학교 학생들에게 실시하는 교육과정 중 하나인 교과목으로, 일본 제국에서 시작되어 한때 한국에서도 도입했던 교과이다.

대한민국에는 1.21 사태 이후 도입되었다. 한국전쟁 당시 학도병 징발 및 훈련이 교련 과목의 모체에 해당되며 전후에도 유사시에 고등학생들을 병력으로 동원할 수 있도록 하기 위해 만들어진 군사학 교육 과목이다. 때문에 교련 교사는 다른 과목과는 달리 전직 위관급 및 영관급 장교였다.

교육내용은 대학의 경우 필수과목으로 교내군사교육과 병역 집체교육을 실시하고, 고등학교는 보통교과의 필수과목으로 군사교육과 위생 및 구급법교육을 실시하였다. 고등학교 여학생의 경우 1970년부터 응급처치・붕대법・간호법 등을 주당 2시간씩 이수토록 하였다.

1994년부터 군사훈련이 공식적으로 전면 폐지되고 응급처치와 안보 및 인성교육 등으로 바뀌었다. 2002년부터 시행된 7차 교육과정부터는 필수과목에서 선택과목으로 변경됨에 따라 교련을 가르치는 학교는 점점 줄어 2006년에는 전국 고등학교의 4.2%에 불과하였다.

2011년부터 교련 과목이 '안전과 건강' 으로 변경되면서 완전히 폐지되었고, '안전과 건강' 과목도 극소수 고등학교에서만 시행되었다. 2014년부터 시행된 새 교육과정에는 '안전과 건강' 과목도 폐지되고 교과 이외의 활동인 창의적 체험활동에 '안전한 생활' 로 포함되어 있다.

국민교육헌장(國民教育憲章)은 박정희 정부 시절인 1968년 12월 5일에 발표된 헌장이다.

우리는 민족중흥의 역사적 사명을 띠고 이 땅에 태어났다. 조상의 빛난 얼을 오늘에 되살려, 안으로 자주독립의 자세를 확립하고, 밖으로 인류 공영에 이바지할 때다. 이에, 우리의 나아갈 바를 밝혀 교육의 지표로 삼는다.

성실한 마음과 튼튼한 몸으로, 학문과 기술을 배우고 익히며, 타고난 저마다의 소질을 계발하고, 우리의 처지를 약진의 발판으로 삼아, 창조의 힘과 개척의 정신을 기른다. 공익과 질서를 앞세우며 능률과 실질을 숭상하고, 경애와 신의에 뿌리박은 상부상조의 전통을 이어받아, 명랑하고 따뜻한 협동 정신을 북돋운다. 우리의 창의와 협력을 바탕으로 나라가 발전하며, 나라의 융성이 나의 발전의 근본임을 깨달아, 자유와 권리에 따르는 책임과 의무를 다하며, 스스로 국가 건설에 참여하고 봉사하는 국민정신을 드높인다.

반공 민주 정신에 투철한 애국 애족이 우리의 삶의 길이며, 자유세계의 이상을 실현하는 기반이다. 길이 후손에 물려줄 영광된 통일 조국의 앞날을 내다보며, 신념과 긍지를 지닌 근면한 국민으로서, 민족의 슬기를 모아 줄기찬 노력으로, 새 역사를 창조하자.

냉전적 시각이 강하게 드러나나 시대상을 고려한다면 헌장의 내용 자체는 대체로 좋은 말이고, 의외로 지나친 국가주의 사상을 강요하다시피하는 문구는 없기 때문에 교과서 앞에 실리고 수업 전에 한 번쯤 읽어보는 정도로 끝났으면 별 문제가 안 됐을 것이다.

문제는 모든 학생들에게 암기를 강요하다시피 했던 것이다.

국민교육헌장((國民敎育憲章)을 외우지 못하는 학생에겐 일반적으로 선생들의 매질이 더해졌고, 사원이나 공무원의 경우 상사들에게 한 소리 듣거나 징계 조치를 당했으며, 군인의 경우에는 혹독한 기합을 받았다. 당연히 실랑이도 자주 일어났다. 심지어 이 시기에 헌장이 노래로 만들어져 음반으로 판매된 바 있었다. 이렇게 강제 암송이 이뤄졌기 때문에 1970~80년대에 학생 시절을 보낸 중장년층에서는 지금도 이 전문을 기억하고 있는 사람도 심심치 않게 볼 수 있으며, 내용을 전부 기억하지는 못해도 처음의 "우리는 민족중흥의 역사적 사명을 띠고 이 땅에 태어났다" 정도는 대부분 기억하고 있다. 부모님에게 '국민교육헌장 아세요' 하고 물어봐보자, 첫 문장 정도는 자동반사로 나오는 모습을 볼 수 있을 것이다.

나. 스포츠

청소년기에 체득한 스포츠의 즐거움은 평생 이어진다는 점에서 매우 중요하다. 그런데 청소년들이 스포츠를 즐길 수 있시 위해서는 아이들이 뛰고 싶은 환경이 조성되어야 한다. 선진국의 시도들은 많은 시사점을 조성해 준다. 미국의 유타 주에 있는 어느 학교에서는 정확한 측정을 통해 학생별 맞춤형 지도를 실시한다. 학생들이 가슴에는 심박수 측정계를, 손목에는 심박수 모니터를 달고 뛰면 그 정보는 교사의 컴퓨터에도 실시간으로 전달되고 그 정보를 바탕으로 지도하는 것이다. 이렇게 하면 학생도 저마다 계량화된 목표를 정하여 도전하고 싶은 의욕을 가질 수 있다.샌프란시스코의 어느 학교에서는 사이클 경주를 가상현실 모니터 앞에서 하게 되는데 언덕길이나 다른 선수와의 경쟁 상황 등 페달과 핸들로도 전달이 되어서 실제로 경주하는 운동 효과를 얻을 수 있다.

일본의 고교 야구팀은 약 4,000개인 데 비해 한국은 약 50여 개에 지나지 않는다. 이렇게 저변이 취약한데도 WBC대회나 올림픽에서 한국이 일본과 맞수가 된다고 우리는 자랑스러워 한다. 그러나 최고의 선수들로 구성된 국가대표 팀끼리 단기전으로 치르는 경기의 승패는 국력을 반영하지 못한다. 일반 국민들의 체력은 전혀 다른 문제이기 때문이다. 인구의 차이를 감안한다 해도, 평소에 야구를 즐기는 숫자는 일본이 한국보다 약 30배 정도 많다. 야구뿐만이 아니다. 일본의 중·고등학교에는 스포츠를 배우고 즐기는 동아리가 다양하게 활성화되어 있다.

"필드하키 선수!"

고등학교에 입학하면서 가정 형편상 사관학교를 목표로 나름대로 열심히 공부를 했다. 상위 수준으로 2학년으로 진급하였으나 학교에 교납금을 독촉에 못이겨 면제 받을 수 있는 필드하키부를 선택하여 선수생활을 시작하였다. 3학년 때 서울에서 열린 제50회 전국체육대회 결승에서 서울 대표 균명고등학교를 제치고 우승을 하게 되었다.

이러한 상황이 나에게 있어서 평생 체육학을 공부하는 진로 선택이 되어버렸다.

다. 청소년 시절의 문화

청소년기는 희열과 좌절을 맛보는 시기이다. 스스로에 대한 믿음과 자신감이 생기는가 하면, 의심과 배신을 경험하기도 한다. 더 이상 벌레나 소꿉놀이에 대해서는 관심이 없다. 변성기를 맞이하고 몸과 마음에 다양한 변화를 겪는다. 새로운 장이 시작되는 것이다.

이 시기에 소년과 성인의 경계 사이에서 그 어느 곳을 향해서도 발걸음을 떼지 못한채 양쪽을 모두 갈망하며 방황한다. 신체도 새로운 역역을 향해 가고 있음을 알려 오지만 종종 자신이 어디에 있는지 모른 채 혼란스러워 한다. 밤낮으로 자신의 존재를 일러 줄 것 같은 여러 실마리에 민감하게 반응하며 가능성을 찾아 시험한다. 내면적·외면적인 탐험을 거듭하며 갈등과 혼동, 분노와 열광, 고통과 사랑, 두려움의 감정적 언덕과 골짜기를 오르내린다. 스스로 강하다고 느끼기도 하지만 대단히 유약하게 느끼는 경우도 자주 있다. 나는 이 시기의 나를 어러 빛깔의 모래알이 혼재되어 있는 유리병처럼 상상하곤 했다. 이상에 대한 갈망, 비교와 의심, 확신과 환상, 순수한 열망 같은 여러 감정적 요소들이 복잡하게 섞여 있는…. 소년 시절의 달콤함에서 벗어나기 싫어 우물쭈물하면서도 어른스런 것들에 눈길을 주는 이중적 마음이 갈등을 빚으며 충돌한다. 누군가가 나를 알아주었으면 하는 마음에 어런저런 특별한 차림새를 하면서도 동시에 나를 알아보는 사람이 없는 곳으로 떠났으면 하는 은밀한 바람도 있었다.[72)]

많은 것들이 바뀌었다. 그 시절 점심 도시락 혼식 검사에서 이제는 학교 급식소를 향하고 있다. 방학 동안 방학 숙제 퇴비 증산 사업 참여도 없어졌다. 방학을 맞아 짧은 해외 유학이나 여행을 다녀오기도 한다. 자전거를 타거나 철봉 평행봉에 매달려 남성미를 만들기도 했다.

72) Linda Spence(린다 스펜스). 내 인생의 자서전 쓰는 법/황지현 옮김, 2008: 79.

예전의 친구들과 뭉치는 일이 줄어들었고 사춘기를 통과하면서 새로운 친구들이 생겨났다. 시간이 지나면서 데이트도 하기 시작했다. 어떤 만남은 꽤 오래가기도 했다. 한 동안은 나보다 나이가 적은 여자 친구를 사귀기도 했다. 덕분에 나는 어른이 된 기분이었지만 확신하건대 부모님은 불안해하셨다.

나는 내가 사랑에 빠지지도, 사랑을 나누지도 못할 줄 알았다. 혹은 어디에선가 원자 폭탄이나 수소 폭탄이 불쑥 터지면서 미사일이 날아와서 어른이 되지 못하고 죽게 될까 봐 걱정하기도 했다. 하지만 정말로 고통스럽고 심각한 걱정거리는 우리들 주변에 항상 존재하고 있다는 사실을 한참 뒤에 깨달았다.

친구의 부모님이 이혼하는 일도 있었고, 어떤 친구는 부모님이 알코올 중독이어서 우리가 미쳐 알지 못하는 고통을 받고 있었으며, 몇몇 소녀는 원하지 않았던 임신을 해결하기 위한 방편으로 일찍 결혼한 사람도 있고, 어쩔 수 없이 조용히 제왕절개(帝王切開, Caesarean section)를 하는 사람도 있었다.

우리는 띄엄띄엄 주워들은 이런 정보를 서로 속닥거리기는 했지만, 터놓고 진중하게 이야기해 보지는 않았다. 그러면서 고등학교 생활은 일상처럼 지속되었다.

더딘 하루하루의 시간이 지루해 끊임없이 일탈을 생각하며 살았다. 내가 있는 곳이 아닌 다른 어딘가를 갈망하게 되었다. 나를 에워싸고 있는 것만으로는 충분하지 않았다. 빨리 학교를 졸업하고 싶었다. 나뿐만 아니라 친구들도 대부분 그런 생각을 했으리라 장담하지만, 그런 갈망이나 두려움을 드러냄으로써 소문이나 왕따를 당하고 싶지 않았다.

라. 그 시절에는

연탄을 때고, 석유곤로에 밥을 해 먹었다. 이래저래 불을 가까이 하는 생활습관이었다. 화재가 자주 일어나다 보니 다들 단련이 된 셈이다. 때론 불구경을 영화 관람처럼 여겼다. 불구경하고 온 사람들이 무용담처럼 자랑삼아 말하고 다닐 정도였다. 불이 난 집은 이렇게 불구경하는 사람과 불을 끄기 위한 사람들로 북적거렸다.

누가 말해주지 않아도 불이 나면 가까운 사람 순서대로 양종이를 하나씩 가져왔다. 양동이가 없으면 세숫대야나 플라쓰―틱 바가지에라도 물을 떠 와서 불이 난 곳에 부었다.

문득 '첫 키스' 라는 단어를 한번 정리해보고 싶다는 욕구가 일었다.

첫사랑의 아련함은 새로운 사랑이 올 때마다 계속해서 생생하게 떠오르는 추억이지만 그에 비해서 첫 키스라는 건, 글쎄.

나는 첫 키스라는, 이제는 도대체 언제였는지부터 천천히 되짚어봐야 할 정도로 오래된 기억이라 조금 난감하지만 일단 한 번 떠올리고 나니 첫 키스란, 잊혀져도 될만한 그런 기억이 아닌 것 같다.

아마도 고등학교 2학년 때였던 걸로 기억한다. 장소는 남대천 철다리 기둥이었다. 여자 친구를 집으로 데려다 주는 길이었다. 얼른 데려다 주어야 했지만, 헤어지기가 아쉬워 일부러 인적이 드문 제방뚝 계단에 앉아 시시콜콜한 이야기로 그녀를 붙잡고 있었다.

이제는 정말로 가야한다는 그녀의 말에 못내 아쉬운 마음을 감추며 애써 알겠다고 한 후 마지막으로 입을 맞추려 천천히 고개를 숙였을 때, 내 목과 귀를 감싸고 먼저 키스한 것은 그녀였다. 당황해서 금방 떨어졌기에 그리 긴 시간은 분명 아니었을 텐데. 이상하게도 나는 그 시간이 엄청 길게만 느껴졌다.

귓가에 종소리가 울려 퍼지진 않았지만, 떨리는 심장 박동이나 구름 위를 걷는 듯한 이상야릇한 기분은 설명이 되지 않는 그런 황홀함(?)이었다.

그러고 나서, 도대체 지금 내게 일어난 일이 정녕 현실인지 믿을 수가 없어서 한 번만 더 해봐도 되냐고 물어본 게, 첫 키스를 마치고 난 뒤에 내가 내뱉은 첫마디였다. 부드러운 음성 대신, 보다 더 부드러운 입술이 다시금 다가왔던 걸로 기억한다. 그리고 그 순간, 아마도 내 얼굴은 많이 붉어졌을 것이다.

그날 집으로 돌아오는 내내, 그리고 샤워(shower)를 하고 잠을 청할 때까지 내 머릿속에는 온통 그녀의 입술에 대한 생각 밖에는 없었던 것같다. 어쩌면 첫 키스란, 부드러운 구름 한 조각과 귓가에 울려퍼지는 종소리는 없을지라도, 오래도록 잊지 못할 강렬한 기억이라는 점에서는 누구든 머릿속에 새겨 두어 보존하거나 되살려 생각해내는 추억일지도 모른다.

세상엔, 역사 속엔, 밤하늘에 펼쳐진 은하수 속 별들의 수만큼이나 많은 시인들이 있었지만, 그들 중 그 누구도 '사랑은 이런 것이다' 라고 한 마디로 표현한 사람은 찾아보기 힘들다.

매일매일 새로운 단어가 무수히 쏟아져나오는 이 현대사회에 살면서 나는 나 홀로 외로워했던 어린 날의 첫사랑조차 제대로 표현해내지 못하고 있다.

이제는 하늘나라로 떠났지만 아련하게 기억나는 나의 첫사랑 그녀를 처음 본 순간, 그녀와 함께 걸었던 제방 뚝, 그녀와 나눈 입맞춤, 그녀를 집에 데려다 주던 시간들, 그녀와 함께 나눈 모든 기억의 조각들을.

나는 이 세상 그 어떤 말로도 그녀를, 그리고 사랑을 표현할 수 없다. 그러니 사랑이여. 내가 표현할 수 없다는 것이, 내가 온 마음을 다해 그녀를 사랑했노라는 증거이다.

그 시절 우리들의 화젯거리는 프로레슬러 역도산과 김일[73]에 관한 내용이 주를 이루었다. 또한 국가대표선수들이 활약한 국제축구시합 중계방송에서 감동을 준 이광제 아나운서의 목소리가 지금도 귀에 생생하다. 김기수선수와 벤베누티선수의 복싱 중계방송도.

---

73) 장영철, 천규덕과 함께 한국 프로레슬링 1세대로 활약하며 1960년대~70년대 중반까지 일본과 한국에서 '박치기 왕'으로 불렸다. 국내 씨름판을 주름잡다 역도산의 레슬링 기사를 보고 1956년 일본으로 밀항했다. 불법체류자로 잡혀 일본에서 1년간 형무소에서 복역하면서도 역도산에게 계속 편지를 써, 1957년 도쿄의 역도산체육관 문하생 1기로 입문하였다. 역도산에게서 호랑이를 때려잡는 사나이라는 뜻의 '오오키 긴타로'라는 이름을 받고, 특기로 박치기를 연마했다. 일본 현지에서 '원폭 박치기'로 불릴 만큼 강력한 위력을 발휘한 그의 박치기는 서양의 거구 레슬러도 한 번에 쓰러질 정도였다.

마. 라디오와 영화

라디오 시청은 방송국에서 유선으로 각 가정으로 연결하여 시청할 수 있도록 하였다. 그것도 12시까지 였다. 지붕 위에서 안테나를 세우고 땅에는 어스를 묻어야 가능했다. '현애탄은 말이없다'가 인기 있는 드라마였다. 요사이와는 다른 혼자서 하는... 부유층에서는 소형 라디오를 가지고 다니면서 뽐내는 사람도 있었다.

흑백 텔레비전이 보급되지 않았던 시절이라 이라 영화를 보기 위해서는 영화관을 이용해야만 했다. 그 당시 강릉에 영화관은 신영극장, 재생관 두 곳으로 기억난다. 공짜로 보기 위해 표를 받으며 이방을 통제하는 기도의 눈을 피해 몰래 들어가려다 붙잡혀 몇 번인가 혼난 적도 있다.

한 달에 한 번 정도 강릉초등학교 운동장에서 대형 스크린을 설치해 공짜로 보여주었던 반공영화 관련은 인산인해(人山人海; 사람이 헤아릴 수 없이 많이 모인 것을 산이나 바다에 비유하여 이르는 말)였다.

전화는 수동으로 전화교환원을 통해 호출할 수 있었는데, 전화기를 통해 들려오는 고운 교환원의 목소리가 너무나 신기했다.

1950년대 진주우체국 공전식 전화실

최익규(1967년, 제7대 국회의원 선거에 민주공화당 소속으로 강릉군-명주군 선거구 국회의원) 국회의원은 1969년 제8대 신민당 김삼후보와의 대결을 위한 선거운동을 시작할 즈음 선거운동 자금으로 상당량의 돈을 다른 사람으로부터 꾸어 최익규 국회의원에게 꿔어주게('꿔어주다' 는 누군가에게 돈 따위를 빌려 준다는 의미를 가진 말이다. 빌리는 것은 '꾸다' 가 맞고, 빌려주는 것은 '꾸이다' 나 '꿔어주다' 가 맞다) 되는데, 국회의원 선거에서 최익규 후보는 김삼 후보에서 패하는 결과를 초래했기 때문에 꿔어준 돈을 돌려받지 못하게 되어 어머니는 벼랑 끝으로 몰리게 된다. 게다가 온 가족이 길바닥에 나앉게 되었다.

얼마 후 어머니는 빚을 갚지 못하여 부도(不渡)처리를 하게 되었다. 그 당시에는 판심이라는 용어를 사용하였다. 판심을 통하여 소유하고 있던 용강동 상점 건물, 발락고개 집, 홍제동에 아트막한 산 5,000평, 논 2,000평, 밭 3,000평 소 5마리 등이 채권자(빚쟁이) 손에 넘어가게 되었다.

그 당시는 등록금을 학교에서 징수하던 시절이었는데 등록금이 없어 학업을 포기해야 하는 처지에 필드하키부 주장 이강형의 도움으로 학비 면제를 받을 수 있는 하키부에서 선수생활을 하였다.

초등학교 4, 5, 6년까지 축구선수를 했으며, 중학교에서는 기계체조 선수, 십팔기 등으로 다져진 몸이라 기술 습득과 시합 출전에 따른 경기 운영은 그렇게 어렵지 않았다. 이것이 나와 체육교육과의 인연으로 볼 수 있다. 그 후 1970년 고등학교를 졸업하면서 다시 외가집으로 이사하여 1974년 군에 입대하기 전까지 살았다.

발락고개 4

자욱한 황사(黃砂) 속을
장기판의 졸(卒)이 되어 헤맨다.
어디 갈 길이 마음 같은가.
무조건 뒤돌아보지 말아야 하고
사랑아 내 끝 간 데를
짐작 못 하는 바 아니다만
나는 내 몸을 벗어나서 너를 안으리.

그래서 한 몸이 되어
고개를 넘어
더 넓은 세상을 향해
날개를 펴리라.

수천 마리의 흰기러기 떼가 저 멀리 낯선 새로운 세계로 향해 날아가는 모습을 보게 되었다. 그곳이 어디인지는 모른다. 다만 멀리 있다는 것만 알려져 있을 뿐. 하지만 기러기들은 반드시 이 여정을 수행해야만 스스로 성장할 수 있고 생존할 수 있다.

나는 흰기러기 떼가 눈앞에 나타나기 전부터 그들의 요란한 대화 소리를 들을 수 있었다. 그러다가 저 멀리 자그마한 너울거림이 보이기 시작했고, 그것이 점차 커지더니 마침내 내 시야에 들어왔다. 처음에는 희미한 그림자였다가 점차 빛나는 구름 떼처럼 나타났다. 자세히 보면 개개의 존재가 드러난다. 리더가 앞장서고 몇몇은 따로 떨어져 날고 또 몇몇은 짝을 지어난다. 보는 이들이 잠시도 눈을 떼지 못할 만큼 그 모습이 아름답다.

흠 잡을 곳 없는 그들의 우아함은 암컷 기러기들로 인해 갑자기 깨지기도 한다. 연못과 습지, 들판 등에서 휴식을 추할 때 암컥 기러기들이 허둥대며 다가왔기 때문이다. 그들 중 일부는 아직 하늘을 나는 기술이 덜 연마된 것처럼 보이기도 한다. 그러다 보니 속도가 느려지고 고도가 낮아지기도 한다. 비틀거리고 흔들거리고 비행궤도에서 벗어나기도 한다.

잠시 쉬었다 가기로 한 그들은 어딘가 착륙한다. 그랬더니 즉각 총소리가 들려온다. 보존 역 바깥이었던 것이다. 위험을 피해 멀리 달아나 숨죽이고 있다가 다음 날 아침, 그들은 다시 갈 길을 떠난다. 몇몇이 방향을 잡고 다른 이들은 날개를 퍼득이며 그 주위를 둘러싸고 있다.

그들은 하늘을 다시 하얀 빛으로 가득 채우고 떠나갔다. 신비와 기적의 메시지를 남기고 가는 듯했다. 우리는 감탐으로 그 자리를 뜨지 못했다.

청소년기를 지나는 세대를 생각하면서 그들이 좀 더 넓은 의미의 보존 구역 안에서 자유롭게 성장하기를 소원해 본다. 그곳이 그들을 위한 안식처가 되고, 동지애가 싹트는 곳이 되기를 바란다. 또 멋진 비행을 위한 아름다운 도약을 준비하는 곳이 되길 바란다. 멀리서 다른 이들이 경탄하며 바라보고 응원해 주는 그런 곳이 되어 주길 꿈꾼다.[74]

5. 청년기(adolescence, 靑年期)

12~20세의 시기를 일컬으며, 보통 '10대' 와 같은 의미로 쓰인다. 이 시기에는 신체상의 변화가 두드러지는 한편 사고와 행동, 사회 관계 역시 급격하게 변화한다. 청년기에는 아동기에 잠복되어 있던 성적 욕구가 폭발적으로 분출한다.

이 시기에 개인은 자신의 성적 충동을 억제하고 다스리는 법을 터득하며 부모로부터의 정서적 독립을 실현한다. 이는 자기다움으로 나아가는 데 꼭 거쳐야 할 단계이다. 개인은 독립과 자주성 획득이라는 전혀 새로운 의무를 안게 된다. 또한 역할이 분명한 아동기 · 성인기와 달리 이 시기의 개인에게는 확실한 의무가 없다. 이와 같은 요소들이 청년기를 규정한다. 여기에 어떻게 반응하는가에 따라 개인의 성년기가 일정 부분 결정된다.

가. 내가 다시 대학생이 된다면

대학에 입학하게 되면서 고향을 떠나 춘천으로 올라왔다. 춘천은 모든 것이 다 아름답게 보였다. 도로도, 건물도 모두 아름답고 어디나 사람들로 북적였다. 하지만 그 많은 사람들 중에는 나를 아는 이는 없었다. 어디를 가나 나는 자유로웠고 무엇이든 할 수 있을 것 같았다. 고향에서는 조금만 걸어도 아는 사람을 만났고, 그들이 나를 감시하는 것 같아 친구들이랑 당구장에 가는 일도 눈치를 보

74) Linda Spence(린다 스펜스). 내 인생의 자서전 쓰는 법/황지현 옮김, 2008: 84-85.

며 해야 했다. 하지만 춘천은 달랐다. 내가 무엇을 하든 상관할 사람이 없었다. 또한 아무리 집에 늦게 들어가도 꾸짖을 사람이 없었다. 해방감은 그렇게 한꺼번에 몰려와 나를 들뜨게 했다. 춘천의 공기가 그때는 더없이 상쾌하게만 느껴졌다.

체육교사 생활을 12년 정도 한 1989년, 가곡고등학교에 근무할 때 강원대학교 사범대학 체육교육과 20년사에 '다시 내가 대학생이 된다면' 이란 제목으로 투고한 내용이 보인다.

내가 다시 대학생이 된다면…….

생각만 해도 가슴이 설레이고 신바람 나는 일이다. 흘러간 물로는 물레방아를 다시 돌릴 수 없다고들 하지만 정신없이 앞을 향하여 달리다 흰 머리카락이 조금씩 보이기 시작한 지금 마음껏 과거의 나라를 돌아보는 것도 의미 있는 일이리라. 일전에 선수들을 데리고 운동장에서 만난 H형과 몇 마디 나누고 돌아서는 모습에서 왠지 모르게 쓸쓸해 보이고 활기찬 과거의 모습을 생각할 때 옛 대학생활이 감미롭게 기억나고 현실이 슬프게 가슴을 죄어오는 듯한 느낌을 어쩔 수가 없었다.

처음 대학에 입학하여 설레이는 가슴으로 선배들이 베푼 환영식에 참여했을 때 산 속에서 알밤 떨어지는 듯한 소리를 들으면서 설교를 듣던 일, 선배들이 야구 연습에서 공 노릇 하던 일, 그 후 '주막' 집으로 가서 '노털카' 의 주법을 배우던 일, 억울하면 선배되지. 그때는 그래도 '선배는 관 속에 먼저 들어갈 확률이 높으니 그리 좋은 것만은 아니다.' 라고 자위했으나, 지금은 나 자신이 더욱 겉늙었으니 H형의 두 눈동자가 오늘따라 흐릿해 보인다.

요즘, 후배들은 풀장에서 또는 볼링장에서 강습을 받는다지만, 그래도 위도에서 받던 야영 강습, 바다에서 받던 수영 강습이 18년이 지난 지금도 추억으로 간직되고 있다. 짠물을 실컷 마신 H형의 찡그린 얼굴, 반대로 빙상 강습 때 열심히 엉덩방아를 찧던 나의 모습에 쾌재를 불렀던 H형. 바다모기에 물려 허벅지를 긁어 흉터까지 간직한 H형, 그 모두가 빛바랜 사진처럼 못내 아쉬움으로 남는다.

내가 다시 대학생이 된다면 이러한 추억들을 좀 더 선명하게 남겨두기 위해 많은 사진을 찍어두고, 학교의 구석구석을 돌아다니면서 대학생활의 자취를 남기며, 애정 어린 관심으로 캠퍼스를 소중한 기억으로 남기고 싶다. 이런 생각이 드는 것은 변해버린 지금보다 그때의 아담한 교정이 더욱 정겹게 느껴지기 때문이다.

우리를 이해하며 친구처럼 대해 주신 교수님들도 잊을 수 없다. 밤새워 술잔을 돌려가며 우리들의 어린 말장난을 들어주시느라 애도 많이 쓰셨으리라. 파조의 연애 이야기, 인생이니, 사랑이니, 철학이니, 운명이니……. 교수님들의 수가 부족해서 전공과목을 제대로 공부하지 못했지만 그래도 끈끈한 정이 있었으니 요즘 후배들보다 살아서 외칠 수 있는 대학생이었다면 지나친 표현일까. 더구나 광주에 하키시합 갔을 때 후보 선수 없이 11명이 출전해 다치는 사람이 생길까 조마조마하면서 한0준교수님이 전·후반 물주전자와 물수건을 대령했던 일, 그 영광 때문인지 한 해에 세 번씩이나 전국을 제패했던 기억 또한 잊을 수가 없다.

내가 다시 대학생이 된다면 삶의 뚜렷한 지표를 설정하기 위해, 미래의 운명에 대한 확신을 가지기 위해, 양심에 따라 자유롭게 살기 위해 그러한 교수님들과 영육의 대화를 나누고 싶다. 남이 성공하는 것을 보고 상처 받지도 않고 남이 실패하는 것을 보고 위안받지도 않는 나름대로의 나침반을 가졌다고 지금도 확신할 수 없기에 말이다.

방학이 끝나고 새로운 학기가 시작될 때마다 등록금과 한 달 하숙비·생활비 팔천원을 팬티에다 따로 부탁한 주머니에 넣고 일곱 시간이나 털털거리며 대관령을 넘던 기억이 요즘도 그 고개를 넘을 때마다 새롭게 느껴진다. 하숙비가 오천원 했으니 그땐 꽤 큰돈이었다. 막걸리 마시고, 당구치고, 나이롱뻥 치고, 데이트 자금으로 다 날리고 허구한 날 자취방에서 라면 밥(밥이 끓을 정도가 되어 라면을 부수어 넣어 만듦)으로 두 끼 때우고 한 끼는 순전히 술로 잇는 생활을 했었지. 그래서인지 한 잔 소주에 명동에서 속이 뒤틀려 쓰러지기도 했으니 한심한 삶이었다. 물론 오랜만에 친구들을 만났을 때 화제 거리가 궁색하지 않고 그로 인한 뜨거운 사랑이, 연륜이 더할수록 우리 핏속에 남아있음을 느끼기도 한다.

그러나 내가 다시 대학생이 된다면, 비틀비틀 술 취한 삶 속에서도 몇 권의 책을 사겠다. 나의 잠자는 정신을 깨우기 위해, 인생의 눈을 뜨기 위해, 술 먹고도 차지 않은 빈 속을 채우기 위해서도 말이다. 훗날의 생에서는 그러한 여유 있는 시간이 없겠기에 더욱 간절히 양서를 읽겠다.

우리 인생은 항상 지난날이 후회스러운가 보다. 아쉬움이 늘 남기에 말이다. 그러나 인생의 행복이란 과거의 아쉬움과 현재 자기가 원하는 일이 이루어졌을 때의 즐거움이 조화되어 나가는 과정에서 발견되리라 믿어진다.

나의 대학생활! 그래도 그때의 삶이 인정 메마른 현실에서 새록새록 마음 한구석에서 피어오름은 어인 일인가.[75]

75) 江原大學校 師範大學 體育敎育科 20年史. 내가 다시 대학생이 된다면, 1989: 50-51.

내가 느끼는 감정을 이해해 주지는 못할지라도 나의 솔직한 이야기를 들어 줄 누군가가 내겐 간절히 필요했다. H형은 내게 그런 사람이 되어 주었다. 그는 내가 꺼내 놓기 어려운 이야기를 쉽사리 입에 올릴 수 있도록 해 주었다. 전혀 관심 없는 것 같은 이야기도 눈을 빤짝이면서 들어 주었다. 나의 이야기를 들으면서 함께 기뻐하고 아파해 주었다. 어두운 터널 안에 있던 나를 세상으로 인도하고 있었다. 나는 회복되고 있었다.

내가 좋아하던 곳은 소양강 근처에 있는 바였다. 일주일에 한두 번 또는 주말에 라이브 공연을 했는데 나는 그게 너무 좋았다. 가수가 노래 부르는 모습을 바라보는 게 좋았다. 악기 연주도 즐겨 감상했지만 직접 노래 부르는 모습을 지켜보는 게 더 행복했다.

그녀는 나를 진짜 데이트 상대로는 보지 않은 듯하다. 우린 친구였고 밤새도록 춤을 춘 후 눈부시게 아름다운 해돋이를 보았다. 그 대까지 한 번도 외박을 한 적이 없었던 나는 마침내 어른이 된 것 같았다.

나. 교사로서

교직생활(敎職生活)은 선생으로서 학생들을 가르치며 지내는 생활이다. 나는 중·고등학교에서 교사, 교감, 교장으로 34년동안 근무한 후 정년퇴직을 하였다. 영광스럽게 정치·경제·사회·교육·학술 분야에 공적을 세워 국민의 복지 향상과 국가발전에 기여한 공적이 뚜렷하다는 공로를 인정받아 국민훈장 무궁화장이 수여(授與)되었다.

> 삶은 시간을 창조한다. 인간은 역사를 만드는 동물이다. 역사는 단순한 사실의 축적이 아니다. 과거와 미래를 유기적으로 잇는 서사(敍事)가 역사다. 역사는 거대한 집단뿐만 아니라 개인의 차원에서도 생성된다. 시간의 연속성 속에서 자신을 발견할 때, 우리는 비로소 '살아 있음'을 확인한다.[76]

이 연구(돈키호테, 체육선생의 삶)에서는 먼저 질적 연구 방법 중 구술을 통한 연구를 중심으로, 연구 방법의 몇 가지 한계점을 살펴보고, 구술을 통한 연구 방법이 가장 많이 도전을 받는 객관성에 대한 문제를 선행 연구 논문과 관련해서 논의함으로써 구술 적용의 인식 변화를 추구하는 데 초점을 맞추었다.

논의된 내용의 결과는, 체육사에서 구술을 통한 연구 방법은 문헌 자료에 기반을 둔 이론 틀이나 분석 틀, 개념 틀이 먼저 제시되

---

76) 김찬호. 생의 발견, 서울: 인물과 사상사, 2010: 8

어야 하며, 참여관찰법이 동반된 구술 방법론이 수행되어야 한다. 그러한 가운데 구술 자료는 새로운 발견이나 기존 가설을 검토하는 지렛대 역할이 되어 줄 것이다.

이와 관련하여, 이 연구는 지금까지 연대기적인 분석 방법에서 벗어나 구술자 본인의 회상을 토대로 시대적 경험을 살펴봄으로써 기존의 생애사 연구와는 다른 차원의 접근을 시도하였다.

자기 자신의 삶에 대하여 기술된 글을 자서전(autobiography)이라 하고 이러한 글의 특성은 묘사와 창조성을 가지고 있다. 전기(biography)는 어느 한 개인의 삶의 역사를 또는 삶의 계정으로 기술된 글로서, 예술적 글로서의 특성을 가지고 있다. 반면에 생애사(life history)는 삶에 대한 회고적 내용을 삶의 전체 또는 일부분을 글로 표현하거나 이야기로서 표현된 것을 의미하고, 이러한 생애사는 역사적 맥락에서 그리고 사회학적 의미에서 읽혀지는 전기의 개념을 가지고 있다. 이야기(narrative)는 현상과 방법 둘 다를 의미하며, 연구되기 위한 경험의 체계화된 질을 가지고 있는 글을 말하며, 그 자체의 연구를 위한 다양한 탐구의 형태를 의미한다. 말하여지는 이야기(oral narrative)는 역사, 언어, 문학의 경계를 연결하는 하나의 과정과 산출물이며, 화자 스스로의 삶에 대한 즉각적 해석과 이해를 제공하는 것을 의미한다. 우리가 체육·스포츠적 삶에 대한 이야기, 글쓰기, 반성적 행위를 하는 것은 자기 이해를 향한 끊임없는 도전이다. 이러한 방법을 통해서 우리는 참 자기를 만날 수 있게 된다.

이 연구는 체육교사로서의 삶에 대한 생애 이야기를 스스로 회상(回想)하고, 기술(記述)한 구술생애사 논문으로, 과거 체육교사로서 활동했던 삶과 학교 관리자인 교감, 교장의 입장에서 체육·스포츠 정책에 따른 시대적 상황 및 경험을 반성해 보고 박사학위 도전에서 나타난 체육·스포츠의 체험적 경험을 즉자(卽自)적 고백(告白)으로 증언한 자기 이야기(self-narrative) 형식이다. 따라서 나의 체육교사 생활과 관리자인 교감, 교장으로서의 삶, 그리고 박사학위 도전에서 나타난 주요 활동과 역할의 공과(功過)에 대한 교훈을 독자 스스로 인식할 수 있도록 개인적 서술(personal narrative) 내용을 중심으로 시대적, 환경적, 인지적, 행동적인 면을 분류하여 분석하였다.

구술생애사를 표방하면서도 구술 자료에만 치중한 것이 아니라 사진, 기록 및 물증 자료를 최대한 수집하고 제시하였다. 이 자료들은 구술자의 이야기를 보충하는 자료로 제공하였고, 독자들이 해설이나 진술자와 증언자의 구술 증언 등을 통하여 구술자가 살아온 시대의 교육적 상황을 이해하는 데 도움이 될 수 있도록 하였다. 또한 전통적 체육사 연구의 약점을 극복할 수 있는 대안적 패러다임으로서의 하위 학문을 검토하였고, 이에 구술체육사의 학문적 구조의 취약점을 보완하여 스포츠구술사가 나아갈 길을 모색하고자 하였다.

이러한 맥락에서, '나의 삶과 체육 · 스포츠인류학적 이야기' 란 이 책은 자기 이야기(self narrative)이자 개인적 서술(personal narrative) 방법인 구술생애사 연구이다. 과거 1970년대 말기에서부터 2000년대 초기까지 체육교사로서의 삶과 2001년부터 2012년까지 관리자(교감·교장), 2013년부터 사회인으로서 체육정책을 바라보면서 시대적 상황 및 경험에 대하여 과거 한 체육인으로서 걸어온 지도자로서의 삶, 연구자로서의 삶, 교육자로서의 삶을 회상함으로써 늦은 나이에 박사과정에 도전하는 계기를 마련하게 되었다. 그리고 2008년부터 박사학위 도전, 2013년부터 생활체육인으로서의 삶을 통하여 반성적 체험을 이야기하는 데 의의를 두고 있다.

나의 체육교사로서의 삶과 체육·스포츠 이야기를 스스로 회상하고, 기술(記述)한 구술 증언을 통해 시대적 배경에 따른 공과(功過), 교육적 의지, 학교 관리자(교감·교장)로서 체육·스포츠 정책을 바라보면서 과거 내가 걸어 온 체험적 경험을 통해 지도자로서의 삶, 연구자로서의 삶, 교육자로서의 삶을 회상하고 반성해 보는 데 있다.

그리고 박사학위(강원대학교 대학원 스포츠과학과) 도전을 통하여 나의 삶에서 나타난 주요 활동과 역할을 살펴보고, 체육·스포츠 발전의 교훈적 의미와 앞으로 학교 체육·스포츠 활동이 나아갈 방향을 이야기 하는 데 목적이 있다.

이러한 연구 목적을 달성하기 위한 연구 문제로, 체육교사로서의 삶과 체육·스포츠 이야기에서 나타난 시대적 배경에 따른 공과(功過)에 대한 교훈은 무엇이었는가. 그리고 체육교사로서의 삶과 체육·스포츠 이야기에서 말하고 있는 교육적 의지에 따른 체육·스포츠 사랑은 무엇이었는가, 관리자인 교감 · 교장으로서 회상한 지도자로서의 삶, 연구자로서의 삶, 교육자로서의 삶, 관리자로서의 삶, 사회체육인의로서의 삶에 대한 반성은 무엇이었는가, 박사학위 도

전기에서 나타난 체육·스포츠교육의 바람직한 방향을 어떻게 제시하고 있는가를 설정하였다.

이와 관련하여 다음과 같이 결론을 대신하고자 한다.

첫 번째 이야기는, 과거 제4공화국 말기로부터 제5공화국의 전두환 정부가 '체육부'를 창설하여 빠르게 스포츠 정책을 진행한 시기에 나의 체육·스포츠 이야기에서 나타난 시대적 배경에 따른 공과(功過), 그리고 체육교사로서 교육적 의지를 알아보는 데 있었다. 이와 관련한 논의 결과는 다음과 같다. 1970년대 말기까지 체육의 모습은 학교체육, 엘리트스포츠, 사회체육을 통하여 국민 체육·스포츠 시대를 열었다. 그러나 제5공화국이 들어서면서 정부부처에 '체육부'를 창설하여 실행했던 엘리트스포츠 위주의 양상 속에서 학교체육은 침체되었고, 생활스포츠는 싹도 나오지 못하는 결과를 가져왔다. 이러한 과정에서 학교체육은 다수 학생의 체육활동에 대한 기본적 권리를 축소시키는 빌미를 제공하였고, 학교스포츠와 학교운동부의 여러 가지 문제점이 잉태되었다. 이 당시 나는 학교 체육교사로서 엘리트 선수를 육성하여 스포츠를 통한 국가 경쟁력을 높이려는 국가정책의 의도에는 일부 공헌하였으나 스포츠를 통한 건전한 인격과 건강한 신체의 육성이라는 체육의 본래 목적을 성취하기 위한 행동적 노력에는 부족한 부분이 많았다. 국가나 집단 등 일부의 목적에는 부합했지만 국민이라는 전체성과 관련해선 체육·스포츠의 다양한 가치가 부각은커녕 희석되고 말았다.

두 번째 이야기는, 1989년 3월부터 2001년 2월까지 나의 체육교사로서의 삶으로, 체육·스포츠가 민족주의, 국가주의적 경쟁과 국위 선양, 국력 과시용 메달따기 전략이라는 20세기형 엘리트스포츠 형태에서 국가 경쟁력을 통한 사회체육과 세계화 추구와 자아실현의 완성이라는 21세기형 정책인 생활체육으로 전환되었던 시기에 나의 교육적 의지에 따른 체육·스포츠 사랑은 무엇인가를 독자들이 알게 하는 데 있었다. 이와 관련하여 나는 교사로서의 책무와 복무에 충실하면서도 끊임없는 도전 정신으로 문·무를 겸비한 진정한 체육인과 스포츠맨이 되기 위해 체육과 교육과정, 체육과 교수·학습 및 평가와 관련된 실천적 현장교육연구, 체육 참고서, 체육 문제집, 체육 교과서의 집필, 그리고 여러 연구회를 통해 교육현장을 개선하려고 부단히 노력하고 실행했다. 하지만 내가 성취한 대부분은 엘리트 선수에 국한되어 있었고, 학교 체육의 새로운 방향을 모색하고 실천하기에는 역부족이었다.

세 번째 이야기는, 2001년 9월부터 2011년 8월까지 관리자(교감, 교장)로서의 삶에서 체육·스포츠 정책의 시대적 상황을 바라보면서 주요 활동과 역할을 살펴보고, 한 체육교사로서 과거에 걸어 온 반성적 체험과 삶을 통해 지도자로서의 삶, 연구자로서의 삶, 교육자로서의 삶을 회상해 보았다. 지금까지 학교 체육·스포츠 정책이 엘리트스포츠의 기반 조성에 공헌(貢獻)한 부문은 인정해야 하며, 엘리트스포츠를 기반으로 한 체육·스포츠 정책에 대한 학교체육 정상화의 과실(過失) 부문 또한 인정해야 한다. 이러한 회고의 시간을 통하여 뭔가 이루어질 것 같아 늦은 나이에 박사과정에 도전하는 계기를 마련하게 되었다.

네 번째 이야기는, 체육·스포츠의 체험적 경험을 즉자(卽自)적 고백(告白)으로 증언한 자기 이야기(self-narrative) 형식이다. 2008년 9월부터 2011년 8월까지 박사학위 도전을 통하여 나의 삶에서 성취한 발자취 그리고 체육·스포츠 발전에 기여한 바를 독자 스스로 교훈적 의미를 인식하고, 앞으로 학교체육이 나아갈 방향을 함께 찾아보는 데 있었다. 이와 같은 이야기에서 말하고 있는 경험을 바탕으로 학교체육 정상화를 위한 '모두를 위한 학교 체육·스포츠 활동' 방향을 모색해 보았다. 이제는 소수를 위한 엘리트스포츠가 아닌 모두를 위한 학교체육으로, 생활스포츠와의 연계 속에서 학교 체육·스포츠 활동의 정상화가 이루어져야 한다. 이를 통하여 학교 체육·스포츠 활동은 교육의 인간화, 민주화, 특성화를 추구해야 하며, 선택중심 개별화 체육수업의 핵심 개념을 구체적으로 전개함으로써 체육교육이 추구하는 전인적 인간을 육성해야 할 것이다. 이와 함께 정부 차원에서는 우선 체육 수업 시수를 확보해 주어야 하며, 스포츠동아리 활동이 활성화되도록 지원하고, 체육 · 스포츠 학습을 위한 체육시설을 확충하여 학생들이 언제 어디서나 쉽게 원하는 종목의 운동을 실시할 수 있는 교육의 장을 제공해 주어야 한다.

학교 체육·스포츠 정책의 방향은, 지금까지 진행되어 온 학교 스포츠 주말리그제 도입, 학생선수 학습권 보장제 등 학생선수의 학업 병행을 위한 사업을 지속적으로 개선하여 보완하고, 확대해 나가는 동시에 체육 · 스포츠계 폭력 근절과 학교운동부 내 스포츠 과학적 훈련 기법 도입을 통해 종합적인 학교운동부 선진화 사업을 추진해 나가야 한다. 또한 대학에서는 진학 단계부터 학업을 병행한 학생선수를 선발해 엄격한 학사관리를 할 때, 대학뿐만 아니라 초·중등학교 운동부에서부터 공부와 운동을 병행하는 균형 잡힌 인재를 육성할 수 있다.

『나의 삶과 체육·스포츠, 인류학적 이야기』란 이 책은 자기 이야기를 내세우고 있으나 구술생애사에 대한 오해와 편견, 무지와 무관심 등이 중첩되어 있을 지도 모른다. 그러므로 인문적 글쓰기에 부족한 부분이 많으며, 입체적이지 못해 평면적이고 도식적이며 단선적인 틀에서 벗어나지 못했다. 내가 진정 사랑한 것은 체육·스포츠가 아니라, 스스로 체육·스포츠 사랑한 것처럼 비쳐졌다면 이 이야기는 체육·스포츠를 도구로 자신의 욕망을 실현한 한 인간의 평면적이고 상투적이며, 자가당착적인 자화자찬에 머물게 되었다고 평가할 수 있다. 이는 왜 연구자 자신을 연구 대상자로 연구하게 되었는가에 대한 설명을 통해 독자를 설득하고 정당성을 부여해야 하는 부분이 미진하였다는 하나의 반증이다.

그러나 질적 연구인 구술사 연구는 결코 오래된 과거나 큰 이야기가 아니라 바로 자신의 삶이자 우리들을 구성하는 주변적 조건에서 체육사적인 일면을 대중에게 돌려줌으로써 스스로 서술하고 바로 자신이 만들어가는 주체임을 인식하게 한다는 점에서 의미가 크다. 이와 더불어 자신을 포함한 주위 사람들의 기억에 각인된 지배의 흔적을 비판적으로 성찰함으로써 현재를 직시하고 미래를 전망하는 시야를 열어갈 수 있을 것이다. 그래서 구술사 또는 대중자서전이 중심을 이루는 대중기억의 실천을 위해서 우리의 주장들은 주요한 의미들을 가지고 있다. 아마도 두 가지 주요한 의미가 있을 것이다. 첫째로, 주체(개인, 지역사회 또는 역사적 시기)의 선택은 매우 중요할 것이다. 둘째로, 우리의 연구 방법은 일차적 서술에 대해서 자의식적이고 정치적인 성찰을 할 수 있는 최대한의 기회들을 주어야만 한다.

이를 위해서는 체육사로 구술체육사의 학문적 구조의 취약점을 보완하여 구술사로의 스포츠구술사가 나아갈 길을 모색할 필요성이 있다고 본다. 이와 관련하여 스포츠구술사가 나아갈 길을 제안하면, 스포츠구술사의 개념에 따른 정체성을 명확히 하고, 한국구술사학회의 구술사 연구 등을 통하여 스포츠구술사를 전공하는 연구자의 확보가 필요하다. 스포츠구술사의 외연보다는 스스로 내포의 성실성을 추구하는 연구 대상과 연구 방법의 범위를 확대해야 한다. 또한, 스포츠구술사의 자생력을 키우기 위한 어미학문(母學問)과 집단적 소통을 통해 학문적인 질을 향상시켜야 한다.

나는 학문적 연구의 필요성을 깨닫게 되어 늦은 나이지만 박사학위 도전을 통하여 얻은 학문적 지식을 토대로, 강원 체육·스포츠를 위해 노력하고, 희생했던 많은 사람들, 숨겨져 있었고, 외면당해왔던 사람들에게 햇빛을 보게 하기 위하여 질적 연구인 내러티브(narrative), 그리고 구술사와 구술생애사 연구를 통해서 그들을 재조명하는 데 노력하고자 한다.

지금까지 체육사로서 질적연구에 충실하지 못했으며, 구술사도 구술생애사도 아닌 뒤섞인 보고서인 듯싶다. 앞으로 보다 더 깊이 있는 공부를 통하여 구술을 통한 체육·스포사 뿐만 아니라, 잊혀져

가는 강원도의 종목별 체육·스포츠의 역사를 체계적으로 연구해야 할 것 같다.

이 땅 위에 체육·스포츠를 사랑하는 사람들에게 이 글을 바친다. 또 박사학위 논문과 이 책이 나오기까지 구술(口述)에 도움을 준 여러 분들께 감사를 드린다.

이 책을 통하여 " 'The Impossible Dream' that Kim, Yong-soo pursues" 말을 남기고 싶다.[77]

'The Impossible Dream' that Kim, Yong-soo pursues

To dream the impossible dream
To fight the unbeatable foe
To bear with unbearable sorrow
To run where the brave dare not go

To right the unrightable wrong
To love pure and chaste from afar
To try when your arms are too weary
To reach the unreachable star

This is my quest

---

77) 김용수. 나의 삶, 체육·스포츠를 말하다. 서울: 부크크, 2022: 331-333.

To follow that star
No matter how hopeless
No matter how far

To fight for the right
Without question or pause
To be willing to march into Hell
For a heavenly cause

And I know if I'll only be true
To this glorious quest
That my heart will lie peaceful and calm
When I'm laid to my rest

And the world will be better for this
That one man, scorned and covered with scars
Still strove with his last ounce of courage
To reach the unreachable star

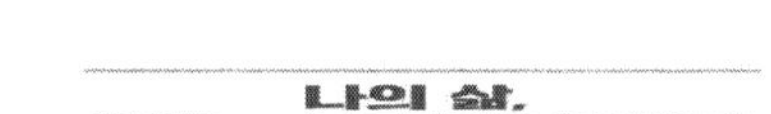

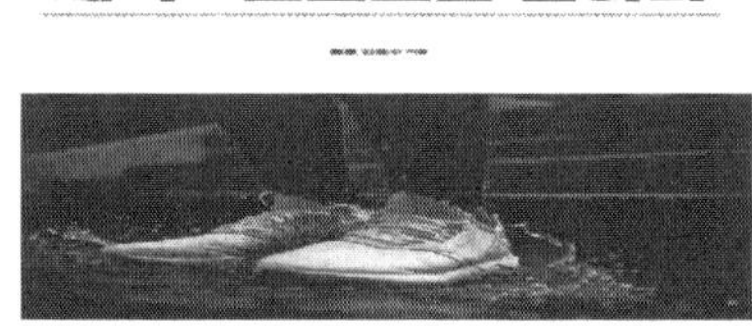

어느 날 무슨 생각에서였는지는 모르겠지만, 문득 더 늦기 전에 어머니의 발을 한 번 씻겨 드려야겠다는 생각이 들었다. 퇴근하자마자 바로 실천에 옮겼다. 옷을 갈아입지 않은 채로 의지에 어머니를 앉힌 다음, 따뜻한 물을 떠 와서 어머니 발을 씻겨드렸다.

생전 처음 겪어보는 기분이었다. 가슴에 무거운 돌을 얹어놓은 것마냥, 갑자기 왈칵 눈물이 쏟아지려 했다. 차마 눈물을 보일 수가 없어 이런저런 말을 하며 애써 감정을 추슬러야만 했다.

이 작은 발로 딛고 일어서서, 상의 무게를 다 버텨내가며 나를 키워 오셨구나. 어머니의 발은 작았지만, 그 발끝에서부터 시작된 사랑은 결코 초라하거나, 보잘 것없지 않았다. 아아, 어머니, 어머니, 우리 어머니, 장하신 나의 어머니!

다. 군대생활

군사교육이 끝나고 1군 신병교육대에 배치를 받았다. 신병들을 교육시키는 부대라 군기가 세었다.

나는 군 복무 중에 지켜야 할 규율과 책임을 다했다. 나는 비로소 비로소 해방감을 느꼈다. 이것이야말로 진전 내가 원하던 삶이었다. 목적을 찾는 것, 이것이 내가 가장 중요한 일이었다. 처음으로 내 일이라는 감정을 느꼈다. 나는 가족들과 떨어져 나만의 일을 하고 있었다.

제대 후에도 집에서 여비군복을 입었던 것으로 기억한다. 군대로 떠날 때에 비해 제대했을 때는 크게 달라졌다고 생각했는데, 그건 정말이지 짜릿한 느낌이었다. 내가 가장 완벽하다고 느꼈던 시절이었다.

자신의 힘으로 앞으로 나아간다는 것, 그리고 어른들의 세계에서 벗어나 홀로 자신의 길을 개척한다는 것에 기쁨과 의미가 독립적인 자아를 형성하기 때문이다.

살면서 몇 번인가 졸업이라는 것을 겪어본 적이 있다. 초등학교, 중학교, 고등학교, 대학교, 하사관학교, 군대, 석사·박사 과정 등등. 이러한 것들로부터 졸업이란 대개 나이가 들면서 당연히 겪어야만 했던 일들이었지만, 꽤 많은 사람들과의 이별을 수반하는 일이라 당연한 일임에도 불구하고 꽤 힘든 경험이었던 것 같다.

어쩌면 졸업이라는 이름의 신발을 신고 한 발자국 내딛는다는 것은 그동안 충분히 익숙해져 이제는 일상이 되어버린 마침과의 이별을 듯하는 건지도 모르겠다.

나는 이별에 대한 감정을 드러내는 것이 서툰 사람이다. 이별의 설움을 못 이겨 먼저 눈물을 보이는 이들과 그들에게 눈물 병이 전념이 된 이들이 보여주는 신파극에도 눈시울만 붉힐 뿐 눈물을 보인 적은 거의 기억이 없다.

졸업에서 이별!

어디서 나온 배짱인지는 모르겠지만 그러한 일말의 여유로움 뒤에는 언제든 만나고자 마음만 먹으면 다시 만날 수 있을 거라는 믿음이 존재했는지도 모른다. 이젠 제법 청춘이 짙은 내음을 피우는 나이라 인생이라는 책장에 더 이상 졸업이라는 단어가 쓰일 일은 없을 거라고 생각했는데, 세월이 흘러 생각해보니 이별이라는 게 덤덤한 척 한다고 해서 무뎌지는 일은 아닌 것 같다는 생각을 늘 한다.

그 이유는 마음에 굳은살이 박인다는 소리는 들어봤어도 마음에 굳은살이 박였다고 해서 이별이 익숙해졌다는 소리를 한 번도 들어본 적이 없기 때문이다. 이뤄지지 않을 것이 분명하지만, 부디 중년기에는 기쁨이 가득해서 그 누구의 눈에도 눈물이 비치지 않았으면 하는 바람이다.[78]

왜 사랑은 아픈가

내 마음 통째 내어주기 어디 그리 쉬운가.
내 목숨 온새미 내어주기 어디 그리 쉬운가.
생각도 철학도 고집도 내려놓기 어디 그리 쉬운가.
정녕 아프지 않은 사랑은 사랑이 아니다(홍수희 시인의 하이얀 세상).

배신의 고통에 몸부림치던 시절이 있었다. 닥치는 대로 사랑에 대한 책을 찾아보았지만 만족스럽지 못했다. 그나마 도움이 된 것은

78) 이정희. 평범한 삶, 경기: 부크크, 2017: 57-58.

페미니즘이었다. 적어도 시몬 보부아르는 사랑이 젠더를 둘러싼 권력관계임을 보여주었기 때문이다. 그러나 물음은 계속되었다. 왜 우리는 그걸 알면서도 사랑을 욕망하는가?

이때 에바 일루즈를 만났다. 일루즈는 오늘날 우리가 사랑에 목매는 이유를 자존감 고취와 연관시켜 설명한다. 사랑은 나를 괴롭히는 열등감이나 불안감을 떨쳐버릴 수 있게 할 만큼 자존감을 높여준다는 것이다. 사랑은 나를 유일무이의 가치를 갖는 존재로 느끼는 일이다. 그렇다면 불안이 만연할수록 자존감을 고취시키는 사랑을 갈망하게 되는 것이 아닐까? 여기서 사랑은 강렬한 인정욕망이 된다.

그러나 소비사회에서 사랑에 대한 기대와 현실 간에는 커다란 심연이 존재한다. 이것이 바로 사랑이 고통스러운 이유이다. 모든 것을 재빨리 갈아치우라고 종용하는 소비사회는 파트너 또한 자동차처럼 갈아치우라고 종용한다. 안정을 원했지만 사랑은 불안을 가져온다. 모든 사람들이 차별적일 것을 강조하는 사회는 정작 나에게 맞는 파트너를 만나는 일을 어렵게 만든다. 선택지의 확장은 가능성의 확장이 아니다. 낭만적 욕구를 자본과 연결시키는 사회는 사랑을 위해 좋은 상품이 될 것을 촉구한다. 자존감 고취를 원했지만 정작 우리는 자신을 좋은 상품으로 만드는 일에 매진하게 된다.

모두가 사랑을 갈망하나 아무도 사랑하지 못하는 사회. 모두가 출산율을 강조하지만 아무도 사랑할 수 없는 사회. 결국 우리의 청년들은 사랑하기를 거부하기에 이르렀다.[79]

---

79) 이현재. 에바 일루즈, 경향신문, 2019. 5. 15.

하루에 한 잔 이상 소위 '다방 커피' 를 마신다. 설탕, 프리미를 잔뜩 넣어서 마시는 데건강에 안 좋다고 해도 끊을 수가 없다. 원두커피는 서른 살쯤 넘어서 맛을 들이기 시작했다. 원두커피에는 개운한 매력이 있지만, 다방 커피가 주는 걸죽한 목 넘김은 따라올 수 없다. 서구 음식이 우리나라에서 제자릴 잡기까지는 시간이 걸리나 보다. 처음엔 보급형으로 온 경우가 많다. 그런 음식은 오리지널(original)이 오고 나서도 좀처럼 자릴 내주지 않았다.

소시지 경우도 그렇다. 요즘엔 고기 함량이 높은 스팸이나 진짜 소시지를 먹지만 내가 어린 시절에만 해도 다랐다. 밀가루 맛이 잔뜩 씹히는 '분홍 소시지' 가 있었다. 식감이 퍽퍽하고 전체적인 음식의 밀도가 낮았다. 고기도 순수한 돼지고기가 아니라 닭고기 등 온갖 잡고기 맛이 났다. 게다가 어쩜 그리도 분홍인지.

음식의 빛깔이라고 보기 민망한 정도다. 색소가 자기 역할을 충실히 해낸 분홍 소시지. 그 소시지에 달걀옷을 입히면 그야말로 천상계 반찬으로 변신했다. 그걸 반찬으로 싸 온 학생은 최고의 인기를 끌었다.

이 소시지는 영양상으로 보면 빵점이다. 고기가 섭섭할 정도로 적게 들어있고, 식용색소가 과다하게 들어간 소시지이다. 그걸 영양학적으로 나무라고 위생학적으로 뭇매를 친다고 해도 소용이 없다. 이미 혀에 인이 백인 이상 말이다. 나는 아직도 분홍 소시지가 더 좋다. 이는 화학적인 것으로 설명할 수 없는 부분이다. 우리 혀와 뇌에는 일찌감치 해롭지만 깜찍한 점령군이 자릴 차지

해 버렸다.

수적인 '입맛 지킴이' 도 있다. 요즘은 돈가스 하면 일식 돈가스를 떠올린다. 하지만 내 기억저장소에 있는 돈가스는 두툼한 돈가스가 아니다. 기사식당에서나 나올법한 널찍하고 얇은 왕 돈가스다. 이 돈가스 옆에는 실처럼 얇게 썬 양배추가 나와야 한다. 그래야 눈으로나 입으로나 외식한 기분이 난다.

대학생이 되고 처음 미팅 나간 날 먹은 것이 돈가스다. 그 당시 일 인분에 천 원이었는데 고소한 맛이 일품이었다. 지금 생각하면 고기 두께가 5mm도 안 되고 그나마 살코기가 아닌 지방뿐이었는데 말이다. 내게는 그때 맛본 돈가스가 진짜 돈가스다.

먹을 것이 귀하던 시절 진짜 재료는 주금만 넣어서 만든 '가짜 음식들.' 하지만 그 음식들을 가짜라고 함부로 말하지 날하야 한다. 그들은 또 하나의 '장르(genre)' 였다. 영양상으로는 부족하고 위생상 불결했는지는 모른다. 하지만 우린 그 시절 그 음식으로 인해 행복했다. 나는 그 음식들이 지금도 귀하게 느껴진다. 당시엔 우리에게 행복을 선물했었으니까. 또 지금은 향수를 불러일으키니까 말이다.[80]

80) 허윤숙. 달고나와 이발소 그림, 경기: 시간여행, 2022: 192-194.

6. 중년기(middle age, 中年期)

중년기를 가리키는 연령은 어느 정도 임의적이고 사람마다 다르지만 일반적으로 40~60세로 규정하고 있다. 중년에 이른 사람이 겪는 생리적·심리적인 변화는 신체적인 능력의 점차적인 쇠약과 자신의 죽음에 대한 자각을 중심으로 나타난다.

중년기에는 미래에 대한 기대보다 과거에 대한 추억과 회상에 점점 몰두하게 됨에 따라 과거·현재·미래의 상대적인 영향력이 바뀌게 된다. 건설적으로 중년기를 맞는다면 만족스럽고 생산적인 노년을 준비할 수 있다.

가. 가족

나는 20대 후반에 결혼했다. 사랑에 빠졌고 내가 규정하는 나만의 세계를 갖고 싶다는 욕구를 강하게 느꼈다. 그 당시 내 도래의 남성에게 결혼이란 독립된 삶을 꾸리는 확실한 보증수표였다. 또 직장에 다님으로써 직접 생계를 책임지는 것도 성인으로서의 특권과 의무의 세계에 진입하는 한 방법이었다.

나는 이 시기가 성인으로서의 의무와 약속이 생겨나고 자신과 가족의 생계를 책임지며 독립된 인생을 구체적으로 설계하는 때라고 생각하는 문화권에 살고 있다.

또한 이 시기는 세상에서 벌어지는 일에 직접 영향을 받는 시기이기도 하다. 전쟁 중이라면 국가에 헌신하기 위해 군 입대를 지원할 수도 있고, 많은 이별을 경험할 수도 있으며, 불황이라면 실업을 겪을 수도 있다.

이 시기 우리는 쉽지 않은 현실과 맞서야 한다. 반면 닥쳐올 일에 대해서는 별다른 사전 준비가 되어 있지 않다. 다행이 이때 우리의 에너지는 절정에 달해 있고 새로운 시작을 받아들일 준비가 되어 있으며 끊임없이 다양한 시도를 하고자 하는 열정으로 가득 차 있다.

30대가 되면 자신의 가정을 꾸려 '정착' 하고 싶은 욕구가 강해진다. 그러면서 점차 가족과 더 많은 시간과 에너지를 나누고 싶어 하며, 바라던 꿈을 조금씩 실현해 가면서 성취감을 느끼기도 한다. 이런 성과로 정신적 충만감을 경험하고 낙관적인 미래를 상상하기도 한다.[81]

사람이 행복하게 살려면 얼마나 넓은 집에서 살아야 하는가?

서른 평은 되어야 하지 않겠나. 방은 두 개가 있어야 하고, 아이들이 태어나면 각자 따로 방을 해줘야 하니 아이들과 부모님을 모시고 같이 살려면 적어도 마흔 평은 되어야 할 것같다.

'사람이 눈을 뜨고 있을 때는 물론, 집이 몇 평인지도 중요하고, 방이 몇 개인지도 주요하지. 그런데 막상 사람이 잠을 잘 때 필요한 공간은 딱 한 평뿐이다.'

넓은 침대에 자면 더 꿈을 꿀 수 있다고 믿는 사람이 많아지고 있는 추세이다. 그러나 꿈의 크기를 결정짓는 건 침대 사이즈(size)가 아니라 넓은 시야와 좋은 안목이다. 크고 푹신한 침대가 양질의

---

81) Linda Spence(린다 스펜스). 내 인생의 자서전 쓰는 법/황지현 옮김, 2008: 105.

수면을 제공해 줄 순 있겠지만, 더 높은 이상과 목표를 결정지어 주진 않는다.

어느 날 날씨가 좋아서 어머니와 손을 잡고 동네 한 바퀴를 거닐은 적이 있었다. 한참을 걷고 있는데 문득 어머니의 손이 참 작고, 많이 거칠어졌다는 생각이 들었다. 안쓰러운 마음을 감추지 못하고 있는 와중에 어머니께서 갑자기 말씀하셨다.

"우리 아들 손이 많이 거칠어졌네. 가족 먹여 살리느라 고생 많지? 그 많은 재산을. 그래 돈이 사람을 따라야지, 사람이 돈을 따르면, 그게 뜻대로 되지 않는 법이 많지."

우리 엄마 그 작고 여리던 손이 못난 아들 하나 키우다가 많이 거칠어진 게 아니냐고, 진심으로 죄송하다고 말해주고 싶었는데.

그리고 또 언젠가 퇴근을 하고는 집에 와서는 어머니를 꼭 안아주는데, 어머니가 무척 작아졌다는 생각이 들었다. 그리고 그 생각을 다하기도 전에 어머니께서 말씀하셨다.

"우리 아들 다 컷네, 이젠 많이 든든하구나."

좋은 것, 맛있는 것은 늘 아들 챙겨주시느라 정작 당신은 피골이 상접해 있으면서도 우리 외아들 다 컷다고 기뻐하시던 바보 엄마.

"사랑한다는 말은 꼭 제가 먼저 해드릴게요. 사랑합니다. 엄마!"

이 시기에 많은 이들이 여전히 삶의 방향을 찾아 헤맨다. 이 세상에서 내가 자리 매김할 그곳을 찾아서 말이다. 알고 하든 모르고 하든 줄곧 어렵고 고민에 찬 30대 중반에 이르면서 때때로 '순응' 이라는 단어가 자신 앞에 똬리를 틀고 있는 것을 발견한다. 이 시기 누군가는 정착한 자리를 박차고 새 길을 찾기도 한다. 실패한 결혼 생활을 헤쳐 나가느라, 도 늘 조바심냈건만 비전이라곤 보이지 않는 직장 생활에 비틀거리는 자신에게서 벗어나고자 선택을 내리기 때문이다.

나. 욕망이 없으면 죽은 목숨과 같다

정신이 한계에 이를 때 초월적 인식이 생겨난단다. 사물의 진실하고 본질적인 성격을 깨닫고자 한다면, 한결 높은 차원의 인식으로 정신의 사고 과정을 넘어설 수 있어야 한다고 부처가 걸어와 내게 말을 건넨다. 이곳은 물질보다 정신이 넘쳐나는 곳이다. 물질은 부족하지만 부족하기 때문에 정신적인 풍요로 넘쳐나는 곳. 사랑과 성숙에 대하여 속삭이는 오쇼 라즈니쉬 쪽으로 고개를 돌리는 시간이다.

사랑과 각성, 즉 깨달음을 통해서만 한 사람의 진정한 존재가 완성된다. 즉 진정한 의미의 한 존재로 성장할 수 있다. 사랑은 영적인 성장을 위해 필수 요소라고 오쇼는 말한다. 사랑은 우리에게 거울 역할을 한다. 내면의 얼굴을 보기 위한 거울이 바로 사랑이다. 깊은 사랑의 얼굴을 통해 비로소 우리는 본래 면목의 나 자신과 만날 수 있다.

호수 위에 달이 비치고 있다. 달을 찾기 위해 누군가가 호수 속으로 뛰어든다. 그러나 달은 거기 없다. 그제야 비로소 그는 고개를 들어 밤하늘을 바라본다. 진짜 달이 거기에 있음을 알게 되는 순간이다.

사랑도 이처럼 환영 속으로 뛰어들어 숱한 좌절을 경험하고 나서야 진정한 사랑의 의미를 깨닫는 통찰력의 순간과 만날 수 있다. 좌절 없이는 진정한 사랑의 꽃을 피울 수 없다. 그러나 사랑은 자유 안에서 피어나는 꽃이어야 한다. 소유하려는 사랑은 온전한 의미의 사랑이 아니다.

사랑은 소유로부터, 집착으로부터 벗어나는 훈련이다. 깨어 있는 사랑은 온전한 자유로부터 싹트는 것이다. 소유하려는 사랑은 반드시 실패로 끝날 수밖에 없다. 사랑은 물론 집착에서 출발한다. 따라서 이 집착의 경험은 누구에게나 필요한 과정일 수 있다. 집착이라는 언덕을 오르는 것은 성숙의 언덕을 오르는 것과도 같다. 필요한 단계이고 경험해야 할 단계이지만 마지막 종착지가 아니다. 그것은 단지 출발 지점에 불과하다. 강을 건너기 위해 필요한 뗏목이었을 뿐 강을 건넌 뒤에 뗏목을 등에 지고 걸어갈 수는 없다. 뗏목의 용도는 강을 건너오는 순간 그 역할을 다한 것이다.

사랑은 상처를 주기도 하고 고통을 주기도 한다. 그러나 상처가 아물면 우리는 매 순간 더 강해진다. 사랑은 고통을 통한 깨달음, 즉 각성을 통해 우리를 진정한 인간, 진정한 하나의 존재로 다시 태어나게 하는 것이다. 그러므로 사랑으로 인한 아픔, 상처, 위험,

고통을 피해가려 하지 마라. 사랑은 바로 이 모든 것이다. 사랑에 지름길은 없다. 사랑은 갈등이며 가파른 고갯길이다. 하지만 가파른 고갯길과 수많은 등성이를 거치지 않고 정상에 도달할 수는 없다.[82)]

정장을 살 때에는 즐겁고 행복한 일. 즉 경사가 있는 날에 입어야겠다는 마음을 품고 설레는 마음으로 신체지수를 잰다. 그러나 막상 정장을 맞추고 나니 결혼식장이나 돌잔치 같은 즐거운 날보다 장례식장에 더 많이 방문하는 것 같다.

언젠가 친구 녀석이 젊은 나이에 세상을 등진 일이 있었다. 학창시절 그다지 친한 친구는 아니었지만 그래도 젊은 나이에 세상을 등진 것이 아타까워서 퇴근을 하자마자 장례식장으로 향했다.

장례식장은 그야말로 아비규환이었다. 살아생전에 그렇게 서럽게 우는 사람들은 본적이 없다. 사랑하는 아들을 잃은 부모님들은 물론 친구, 연인, 직장 동료들까지 정말 눈 뜨고는 못 볼 관경이었다.

상갓집에 가면 상주에게 해주는 말이 있다. “많이 힘들지, 그래,

---

82) 이서영. 사랑으로 떠나는 인문학 여행-오쇼 라즈니쉬 사랑과 성숙에 대하여- , 솔아북스, 2016.

미처 준비할 시간이 없이 사랑하는 사람을 떠나보낸다는 건 정말 힘든 일이지. 이제 다시는 그 사람의 숨결을 느끼지 못하게 됐으니. 그러니까 실컷 슬퍼해라. 실컷 아파하고, 실컷 놀어라. 대신 다 울고 나면 지금보다 더 열심히 살아야 한다. 왜냐하면, 지금 이 시간부로 하늘나라에서 행복하기만을 바라는 한 사람이 더 늘어났기 때문이다." 라고.

흔히들 기쁨은 나누면 배가 되고, 슬픔은 나무면 절반이 된다고 한다. 기쁨은 최대한 일찍 나누면 기쁨이 배가 될 확률이 높지만, 슬픔을 나누려면 스스로 그 슬픔에 대해서 납득할 만큼의 시간이 필요한 것 같다. 시간이 흘러야만 꺼낼 수 있는 마음의 짐이 있다는 것 또한 배려하며 삶을 살아가는 자세가 필요하다.[83]

우리는 스스로 책임져야 할 현실에 맞닥뜨렸을 때, 우리가 어른이 되었다는 사실에 직면하게 될 때, 자신이 아직 어리다는 사실을 실감하게 된다. 나도 분명 그랬고, 이웅 전혀 예상치 못한 일이었다. 성인이 된 초반기에 나는 대부분 재미있고 짜릿하며 더없이 행복한 시간을 보냈다. 부인, 그리고 다른 부부들과 나눈 진한 우정 덕분이었다. 함께 한다는 것의 윤택함을 느꼈다. 많은 시간을 함께 보내며 같이 웃고 긴 시간 맛있는 식사를 하며 동이 틀 때까지 이야기를 나누기도 했다. 우리가 아는 것도 모르는 것, 그리고 우리가 인생에 대해 안다고 생각하는 것들을 열심히 탐구했다.

그 시절 우리는 책임감으로 더욱 성숙해졌고 각종 고난에 대처하기 위해 생겨난 능력은 인생의 중반을 향해 나아가는 데 도움을

83) 이정희. 평범한 삶, 경기: 부크크, 2017: 76-77.

주었다.[84]

나는 무엇이든 다 할 수 있다고 생각했다. 첫 번째 여행지로는 중국을 택했다. 내가 알지 못했던 세상-언어, 의상, 독특한 풍경과 향취, 소리 등을 향해 눈과 마음을 활짝 열였다. 그 시절 우리 세대는 대개 국가 테두리 내에서 생각하고 존재했다. 세계가 그다지 가깝게 느껴지지 않았다. 나는 국가를 위해 헌신하며 전 세계를 다니는 정보원이 되는 공상을 하기도 했다. 그 시절 나는 모험과 미스터리에 상당히 매료되어 있었다. 지금은 세계 어디를 가도 내 나라와 비슷한 풍경이 펼쳐진다는 사실이 못내 아쉽다. 전에는 훨씬 이국적이었는데 말이다. 그 시절 나는 걱정 따위는 하지 않았다. 모든 일이 잘 되리라고 믿었고, 주어진 규칙과 역할을 잘 지키고 수행하면 무엇이든 해낼 수 있다고 생각했다. 하지만 그건 착각이었다.[85] 그 다음으로 일본, 오스트레일리아(Australia; 濠洲), 뉴질랜드(New Zealand), 미국 ...

☞ 젊을 때 이혼·실직하면 노년기 치매 위험 커진다

젊은 시절 이혼 등 사건으로 인해 극심한 스트레스를 겪은 경우 알츠하이머병의 발병 위험이 커질 수 있다는 연구 결과가 나왔다.

미국 신경학회의 '신경학연보(Annals of Neurology)' 에 최근 실린 연구에 따르면, 청년·중년기에 겪은 극심한 스트레스는 수십 년 후에도 알츠하이머 발병을 비롯해 뇌 건강에 영향을 끼칠 수

84) Linda Spence(린다 스펜스). 내 인생의 자서전 쓰는 법/황지현 옮김, 2008: 106-107.
85) Linda Spence(린다 스펜스). 내 인생의 자서전 쓰는 법/황지현 옮김, 2008: 1113.

있는 것으로 나타났다. 스페인 바르셀로나 글로벌 보건 연구소 팀이 48세 이상의 참가자 1290명을 대상으로 코호트(동일 집단) 연구를 수행한 결과다.

일러스트=조선디자인랩 이연주

참가자들은 과거 사랑하는 사람의 죽음, 이별, 실직 같은 스트레스성 사건을 겪은 경험에 관해 의사와 인터뷰를 진행했다. 그런 다음 자기공명영상(MRI) 검진, 뇌척수액을 뽑는 '요추 천자' 검사 등을 진행했다. 그 결과, 중년기 이전에 주요 스트레스 사건을 겪은 이들은 알츠하이머 유발인자인 베타아밀로이드와 타우 단백질이 더 많이 검출된 것으로 드러났다. 알츠하이머는 베타아밀로이드가 뇌 속에 축적되고 타우 단백질이 더해져 엉키면서 생기는 질환으로 알려져 있다.

연구 1저자인 엘레니 팔파티스 박사는 "중년기 이전 스트레스 경험은 뇌 건강과 관련해 지속적으로 영향을 미칠 수 있다"고 설명했다. 젊은 시기는 뇌가 발달하는 시기이고, 중년기부터는 뇌 건강에 해로운 단백질들이 본격적으로 쌓이기 시작하기 때문에 이때

받은 스트레스가 노년기 알츠하이머 발병에도 영향을 미칠 수 있다는 것이다.

연구팀은 또 우울증 등 정신질환을 앓은 경우 알츠하이머 발병 위험이 더 커진다고 덧붙였다. 불가피하게 겪은 스트레스성 사건으로 생긴 트라우마는 우울증으로 이어질 수 있기 때문에, 정신질환 예방・치료를 하는 게 추후 알츠하이머 예방에도 도움이 된다는 것이다. 연구팀은 "과거 겪은 스트레스성 사건과 알츠하이머 발병의 상관관계가(이번 연구를 통해) 밝혀진 만큼, 정신질환 경험, 성별 등 맥락에서도 추후 연구가 이뤄질 필요가 있다" 고 했다.[86)]

다. '밀 서리' 의 향수

밀이 누렇게 익어 갈 때 밀을 베어 밀이삭을 불속에 넣거나, 채반 위에 쪄서 이삭을 손으로 비벼 껍질을 불어내고 밀알을 먹었다.

1950년~60년대 위촌리에는 집집마다 밀농사를 지었다. 미국의 잉

86) 김민기. 젊을 때 이혼・실직하면 노년기 치매 위험 커진다, 조선일보, 2024. 5. 19.

여농산물인 밀가루 배급을 받기 전까지는 밀은 재배하여 정미소에서 밀가루를 빻아 먹었다. 제분기에서 나오는 흰 밀가루는 받아 국수를 해 먹었다. 껍질까지 들어가 누른 밀가루는 따로 받아 빵을 만들거나 전을 부쳐 먹었다. 조금 나오는 밀기울(밀껍질)은 반죽하여 누룩을 만들었다. 발효되고 마르면 절구에 빻아 가루를 만들어 두고 농주를 만들 때 넣었다. 밀은 보리보다 생육기간이 길어 수확시기가 늦다. 물을 조금이나마 대기 좋은 논에 밀을 심었다. 높기도 하고 길기도 길었던 보릿고개! 요즘 그때 배고픔의 참상을 어찌 이해할까?. 배고픈 아이들은 밀 이삭에 누른빛이 나는 해 질 무렵이면 밀 서리를 하였다. 공터나 도랑에서 연기가 피어오르는 것을 종종 볼 수가 있었다. 아이들이 밀밭에서 익어 가는 밀을 조금 베어 왔다. 마른 솔가지 등 나무를 구하여 불을 붙여 불이 활활 탈 때 밀대를 잡고 밀 이삭을 불에 넣어 이리저리 돌렸다. 먼저 수염에 빨간 불이 붙어 타고 이삭이 검게 그을리면서 이삭목에 불이 붙어 빨갛게 타면서 이삭이 끊어져 불 속으로 떨어졌다. 이삭이 거의 다 떨어졌을 때 밀대는 버렸다. 불을 헤쳐 타는 나뭇가지와 연기 나는 가지를 밖으로 버리고 윗옷을 벗어 양손에 잡고 벌려서 "확" "확" 세게 흔들어 바람을 일으켰다. 불티와 나뭇재는 날아가고 까맣게 타든 밀이삭만 남았다. 둘러앉아서 서로 먼저 먹으려고 뜨거운 밀 이삭을 주워 손바닥에 놓으면 뜨거워 이 손 저 손 옮기며 손바닥으로 비벼서 입으로 후후 불어 껍질을 날려 보냈다. 날려가지 않는 이삭 줄기는 버리고 새파랗게 익은 밀알만 입에 넣고 먹었다. 일찍 떨어진 밀알은 까맣게 탄 알도 있었다. 빨리 많이 먹으려고 대충대충 씹어서 삼켰다. 한창 먹을 때는 손바닥 비비는 소리와 후후 부는 소리만 날 뿐 말이 없었다.

어느 정도 먹고 난 후 고개를 들고 앞 친구를 보면 입 주위와 얼굴이 새까맣고 손바닥도 까맣게 되어 반들반들 윤기가 났다. 서로 쳐다보며 손가락질하며 하얀 이를 드러내고 웃다가 상대방의 얼굴에 까맣게 더 칠하려고 장난을 쳤다. 밀밭 주인이 소리치며 쫓아오면 아이들은 도망갔다. 다음부터는 밀을 베어서 밀밭 가까운 곳이 아닌 먼 곳에서 밀 서리를 하기도 하였다.

친구의 고모가 결혼하기 전에는 저녁에 고모 친구들이 모여 십자수를 놓았다. 밀 서리를 하려고 두세 명이 동네 앞이나 뒤편 밀밭에 가서 주인 모르게 밀이삭만 끊어 왔다. 솥에 물을 붓고 채반 위에 밀 이삭을 펴놓고 소금물을 뿌렸다. 솥뚜껑을 덮고 불을 때어 김이 나도록 쪘다. 조금 있다가 뚜껑을 열고 소쿠리에 담아서 한두 이삭을 손바닥에 놓고 비비고 후후 불어서 새파란 밀알만을 입에 넣어 맛있게 먹었다. 고모 친구들이 밀이삭 끊어 올 때 무섭다고 친구가 불러서 몇 번 따라갔었다. 굶주린 배를 채우지는 못했지만 밀 서리를 해서 먹는다는 그 자체가 즐거웠다.

밀 서리를 할 때쯤 익은 밀 이삭을 끊어서 손으로 비벼서 껍질을 후후 불어내고 밀알을 입에 넣고 삼키지 않고 계속 씹으면 매끈매끈한 껌이 입 안에 생겼다. 소리 내어 씹기도 하고 작은 풍선을 만들어 터트리면 다른 아이들의 부러움의 대상이 되었다. 어쩌다가 껌이 하나 생기면 한입에 넣지 않고 조금씩 떼어서 입에 넣고 단물을 빨아 먹으며 씹었다. 하루 종일 씹고 저녁에 잠을 잘 때는 벽에 붙여놓고 아침에 일어나면 굳어 있는 껌을 때어 다시 씹었다.

재래종 우리 밀은 연질밀이라 단백질 함량이 적어 쫄깃한 식감이 적었다. 미국산 밀가루는 경질밀이라 쫄깃한 식감이 강하여 빵이 잘 부풀어 오르고 맛이 있었다. 미국산 밀가루에 맛이 들면서 우리 밀을 재배하지 않아 사라졌다.

보리와 밀이 익어 갈 때면 뽕나무에는 오디가 검붉게 익어 뽕밭 주인 모르게 나무에 올라 오디를 따 먹었다. 장독대 옆 앵두도 익어갔다. 뒷산에 산딸기가 익어가면 주전자를 들고 산에 올라 배부르게 먹으면서 가득 따오면 온 가족이 같이 먹었다. 이때가 조금은 행복한 시기였다.

그때 같이 자란 서너 살 차이가 나는 형 친구들이 십여 명 되었다. 절반 이상은 하늘나라로 먼저 갔지만 '밀 서리'를 생각하면 그때의 모습이 떠오른다.[87]

87) 유병길. '밀 서리'의 향수, 시니어매일, 2021. 06. 02.

라. 아련한 추억이 가물가물, 참새잡기

손전등과 짜리로 참새잡기. 덫을 놓아 참새잡기. 고무줄 새총, 공기총, 그물망 등으로 참새를 잡았다.

1950~60년대 마을 전체가 초가집인 위촌리에서는 추운 겨울밤이면 참새를 잡는 것은 연중행사 같은 놀이였다.

사랑방에서 놀던 친구 4~5명이 오후 10시 경 두꺼운 옷을 입고, 손전등과 짜리(대마 겉껍질을 벗긴 속대를 발과 같이 엮어서 위는 직경 30cm 정도, 밑은 손 하나 들어갈 정도로 좁게 만든 기구)를 들고 나갔다.

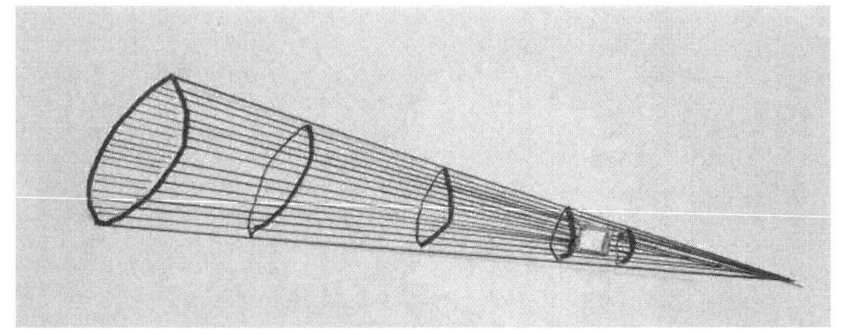

처마 밑에 가서 손전등으로 처마 끝을 비추면 하얀 솜털 뭉치 같은 참새가 있었다. 인기척에 놀란 참새가 깃 속에 넣었든 고개를 들면, 말똥말똥한 두 눈을 볼 수 있었다. 참새는 전등 불빛에 눈이 부셔 날아가지도 못하고 가만히 있었다. 이때 오른손을 꽈리에 넣고 참새가 있는 곳에 꽈리 입구를 대고 위로 "툭" 쳤다. 참새는 밑으로 툭 떨어지면서 날아가는 습성 때문에 꽈리 안으로 들어왔다. 날아가려고 안간힘을 쓰지만, 꽈리는 밑 부분이 좁아 푸드덕거려도 미끄러져서 바로 손에 잡혔다. 따뜻하고 폭신한 촉감의 참새가 손에 잡혀 가슴이 팔딱거릴 때 기분은 잡아보지 못한 사람은 상상을 못 한다. 그러나 잡힌 참새가 죽는 것은 불쌍하였다.

끝을 묶고 허리에 묶어 늘어트린 새끼줄에 참새 머리를 끼워서 달고 다녔다. 60여 호 동네를 돌다 보면, 참새를 잡으려고 나온 형제, 남매, 젊은 부부들도 있었다. 추위도 잊고 한두 시간 동네를 돌며 잡으면 많을 땐 40~50 마리, 적게 잡을 때도 10 마리는 잡았다. 참새를 잡아 오면 사랑방 안주인의 맛있는 참새 요리를 밤참으로 맛있게 먹고 헤어졌다.

가을에 농사일 끝나면 볏짚으로 이엉을 엮어 초가지붕을 품앗이로 새로 이는 것은 연중행사였다. 새 이엉으로 초가지붕을 이고 나면 집안이 더 따뜻해지는 것 같았다. 해가 지고 날이 어두워지면, 울타리와 나무에 앉아 있던 참새들이 새로 이은 초가집 처마 끝에 날아들어 볏짚 사이에 몸을 숨기고 잠을 잤다. 갑자기 날씨가 추워지면 처마 끝에서 잠을 자는 참새가 많아졌다. 여러 팀이 참새를 잡으려 다니면서 처마 끝을 쳐올려 어떤 집에서는 처마가 상한다고 참새를 못 잡게 하지만 몰래 들어가서 잡았다.

아이들은 y자 나무 막대 양쪽에 굵은 고무줄을 묶고 두 고무줄 끝에는 두꺼운 천이나 가죽을 묶어 새총을 만들었다. 작은 돌을 넣고 고무줄을 당겼다가 놓아도 참새를 잡기는 힘들었다. 어느 날 상철이가 복숭아 나뭇가지에 앉은 참새를 보고 고무줄 새총을 쐈다. 돌에 맞은 참새가 땅에 떨어졌다. 지나가던 어른이 “네 손에 살이 낀 것 같다. 오늘은 조심하여라.” 하였다. “옛말에 살이 끼는 날은 살짝 때려도 사람이 죽는다.” 는 말이 있었다.

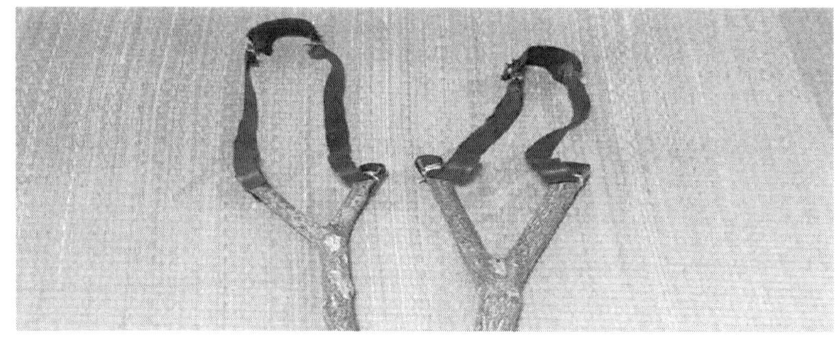

비, 눈이 내리려 하면 야생 동물과 새들은 미리 아는가, 먹이를 찾아 활동하였다. 눈 오는 날이면 아이들은 덫을 놓아 참새를 잡았다. 작은방 방문에서 잘 보이는 마당 한구석의 눈을 쓸고, 산태미

(삼태기)를 뒤집어 끝은 땅에 닿고, 손잡이인 둥근 나무 중간 부위에 20㎝ 정도의 나무 막대로 받쳐 들리게 하였다. 산태미 위에는 큰 돌을 얹고, 밑에는 짚북데기와 싸라기를 약간 뿌려 놓았다. 나무 막대 밑 부분에 노끈을 묶고 한쪽 끝은 방문 구멍을 뚫어 안까지 들어오게 하였다. 손에 노끈을 쥐고 문구멍으로 밖을 보며 기다렸다.

장난 좋아하는 동생들도 못 떠들게 하고 숨을 죽이고 밖을 보았다. 기다리다 보면 눈이 쌓여 먹을 것이 없는 참새들이 산태미 주위를 경계하며 뱅뱅 돌았다. 밖에서 조심스럽게 주워 먹다가 경계심이 풀리면 안으로 들어가서 마음 놓고 먹었다. 이때 노끈을 당기면 산태미가 땅에 닿았다. "야" 아이들은 소리치며 뛰어나가 산태미를 발로 밟으면 밑에 깔린 참새를 모두 잡았다. 참새가 소 등에 앉아 "네 고기 열 근 주어도 내 고기 한 근 안 준다." 고 큰소리쳤다는 옛말이 있었을 만큼 참새 고기는 맛이 있었다.

초가집 지붕에 집을 짓고 살면서 농작물을 먹어 치우는 참새 떼가 많았다. 벼 이삭이 고개 숙여 갈 때 벼 낟알 속에는 묽은 풀 같은 흰 물이 생겼다. 이때 참새 떼가 벼 논에 날아들어 낟알을 부리로 씹어 흰 물을 빨아 먹으면 쭉정이가 되었다. 농부들은 참새 떼를 못 오게 하려고 허수아비를 세웠으나 참새는 속지 않았다. 참새는 머리가 좋은가 허수아비에 앉았다가 이삭에 내려앉아 벼알의 물을 짜 먹었다.

학교에서 집에 온 아이들은 하기 싫지만 참새를 쫓으려 논으로 나갔다. 논둑에 새끼줄을 치고 헌 깡통을 달아 줄을 당기고, 뛰어다니며 참새를 쫓았다. 친구와 한눈팔고 놀다 보면 참새들이 다 내려와서 먹었다. 마당에 멍석을 펴고 벼 콩 팥 녹두 참깨 들깨를 말릴 때도 참새는 몰래 와서 먹었다. 막대기를 옆에 두고 마당을 탕탕 두드리며 참새를 쫓았다.

참새는 처마 이엉에 구멍을 파고 들어가 깃털을 뽑아 놓고 3~4개 알을 낳았다. 아이들은 사다리를 처마에 놓고 올라가서 참새집에 손을 넣어 알을 꺼내어 먹었다. 처마 부근에서 참새 떼가 날며 "짹" "짹" 울부짖을 때가 있었다. 위험하다는 신호다. 처마 끝을 보면 큰 구렁이가 참새 집에 들어가서 알을 먹는 것을 볼 수가 있다. 아이들이 소리쳐도 구렁이를 막을 방법이 없었다.

겨울이 되면 그물을 치고 참새 잡는 아저씨들이 봉강리에 자주 왔다. 긴 장대 두 개에 그물 끝을 매어 그물 넓이만큼 벌려 동네 양쪽에 쳤다. 과자를 얻어먹은 아이들이 동네에서 뛰어다니면 도망가려는 참새들이 그물에 걸렸다.

이웃 동네 새총이 있는 아저씨가 있었다. 총대를 꺾고 납으로 된 총알 하나를 넣고 총대를 펴서 정조준하여 방아쇠를 당겨 참새를 잡았다. 처음에는 참새를 잘 잡았으나 조금 지나면 총대를 들면 참새가 알고 날아갔다.

1970년대 새마을 운동이 확대되면서 초가지붕을 슬레이트, 시멘트 기와지붕으로 개량하기 시작하여 초가지붕을 구경하기가 힘들어졌다. 겨울밤 손전등을 들고 참새를 잡던 재미있던 놀이도 지붕 개량과 함께 영원히 사라져 지금은 추억 속에 남아있다.[88]

마. 밀주(密酒)

농번기가 되면 읍내 관공서의 단속반들은 농촌마을을 수시로 돌며 이른바 밀주 단속을 했다. 세무공무원이 중심이 된 단속반에는 주조장 직원도 끼어 있다는 소문이 공공연히 나돌았다. 무슨 특권이라도 가진 양 이들은 어느 집이건 가리지 않고 무단으로 쳐들어왔다. 그리고 온 집안을 닥치는 대로 홀라당 뒤집어놓곤 했다.

내가 어릴 때이니까 1970년 전후가 아니었나 싶다. 군사정권의 기세가 등등하던 시절이었다. 농가에서 전통적으로 빚어오던 막걸

88) 유병길. 아련한 추억이 가물가물, 참새잡기, 시니어매일, 2021. 05. 12.

리를 행정기관이 갑자기 단속하기 시작했다. 막걸리를 담그다가 들키면 파출소에 잡혀가고 벌금을 무는 등 혼쭐이 나야 했다.

사실 농촌에서 막걸리는 그냥 마시는 기호음료가 아니었다. 밥과 국을 대신하는 식량의 구실까지 했던 것이다. 쌀을 누룩과 함께 일정기간 발효시킨 것이니 왜 안 그러겠는가. 막걸리는 나날이 고되게 일해야 했던 농부들의 시름을 덜어주는 친근한 벗이기도 했다.

그런 막걸리를 관공서가 단속한 것이다. 국가라는 이름으로, 공익이라는 이름으로, 권력이라는 이름으로 막무가내 단속을 해댄 것이다. 지금 생각하면 참 어처구니없는 시절이었다. 일종의 코미디라고나 할까.

스물일곱 마지기의 농사를 짓던 우리집은 수시로 막걸리를 빚어야 했다. 특히 농번기에는 막걸리가 필수음료였다. 어머니는 막걸리를 맛있게 잘 담그기로 놉들(품앗이 일꾼들) 사이에서 입소문이 자자했다. 텁텁한 듯 달고, 단 듯하면서도 깊은 맛이 일품이었던 거다.

막걸리 단속이 나오면 우리는 단속반원들과 아슬아슬한 숨바꼭질을 해야 했다. 우리는 행여나 들킬세라 꼭꼭 감춰야 했고, 단속원들은 이 잡듯 뒤져서 반드시 찾아내야 했다. 만의 하나 들키는 날에는 손이 발이 되도록 싹싹 빌어야 했다. 잘못했다고. 한번만 봐달라고. 그럴수록 단속반원들의 목소리는 추상같았다. '네 죄를 네가 알렸다'라는 듯이 말이다.

왜 그렇게 단속에 혈안이 됐을까? 근래 들어 그 까닭이 궁금해졌다. 농부들이 일은 안 하고 술만 고주망태로 마셔서였을까? 과음으로 건강을 상하고 풍기도 문란해지고 말이다. 하지만 이건 말이 안된다. 그렇다면 읍내 주조장은 양조 막걸리를 왜 그렇게 버젓이 판단 말인가. 게다가 총력안보체제의 국가는 그렇게 살뜰하게 국민을 살펴주지 않았다.

아마 쌀이 밥이 아닌 술이 됨으로써 식량자급률을 끌어올리는데 장애가 된다고 판단했지 않았나 싶다. 당시는 '식량증산'이라는 구호가 요란했던 때였다. 미질이 떨어짐에도 다수확 품종인 통일벼가 권장되던 시절이 바로 그 무렵이었다. 이는 명분상 그렇듯했다.

다른 한편으로 국가의 재정 확보의 필요성이 있었던 것 같다. 농가가 막걸리를 담가 마실 경우 단 한 푼의 세금도 내지 않지만, 주조장의 막걸리를 사 마시면 국가는 가만히 앉아서 세금을 쏠쏠히 챙기게 되는 것이다. 아마 이 목적이 훨씬 크지 않았을까 싶다. 단속원이 주로 세무소 직원이었다는 사실은 이를 잘 말해준다.

아무튼 농촌사람들은 자기가 담가오던 술을 마시지 못하고 읍내에서 억지로 사다가 마셔야 했다. 물론 가격은 주조장이 마음대로 정했다. 두 되짜리 대두병이 아닌 한 되짜리 패트병에 담긴 술을 일일이 사날라야 하는 수고로움도 감내해야 했다.

양조장 막걸리는 농가 막걸리와 맛과 깊이가 달랐다. 색깔은 하얗게 맑았으나 진득한 맛이 덜했고, 취하며 골치부터 아팠다. 농가 막걸리는 아랫배부터 취기가 돌면서 위로 서서히 올라와 은근히 기분이 좋게 했다.

밀주 단속반 출몰 소식이 전해지면 온 마을이 야단법석이었다. 너나 없이 동으로, 서로, 텃밭으로, 창고로 마구 내달리며 제정신들이 아니었다. 술독도 감추고, 술병도 감추고, 고두밥도 감추고, 누룩도 감추느라 한바탕 전쟁을 치러야 했다.

자료를 들춰보니 이런 밀주 단속은 일제시대 때에 시작됐다고 한다. 을사조약으로 사실상 조선을 집어삼킨 일제는 1907년 7월에 주세령을 공포해 막걸리를 비롯한 전통주를 밀주로 간주해 단속한 것이다.

이로써 전통주는 수난시대를 맞게 된다. 대신 정종과 같은 일본술이 활개를 쳤다. 제사 때면 정종을 사용했던 풍속이 그 대표적인 예다. 나라를 빼긴 한민족은 영혼까지도 일본술에 취해야 했던 것이다. 반면, 전통주는 음지에서 겨우 명맥을 유지해야 했다.

일제의 밀주 단속은 세금과 밀접한 관련이 있었다고 한다. 성인이면 누구나 마시는 술에 세금을 매겨놓았으니 국가로선 큰 이득이 아닐 수 없었던 것이다. 이런 단속은 일제가 물러간 후에도 계속돼 이승만 정권, 박정희 정권으로 이어졌다. 일제는 끝났으나 일제의 흔적은 지워지지 않고 계속됐던 것이다.

앞서 얘기한 바처럼, 밀주 단속이 나오면 술독과 술, 그리고 그 재료를 숨기느라 혼비백산해야 했다. 심지어는 술병을 깨서 변소나 또랑에 쏟아버리기도 했다. 단속원들이 쇠꼬챙이로 땅까지 쑤시며 뒤지고 다녔으니 그럴 만하지 않았겠는가. 참으로 안타까운 풍경이었다.

세월이 많이 흘렀다. 지금은 더이상 밀주 단속을 하지 않는다. 하지만 오랜 단속기간을 거치면서 전통주 제조는 민간에서 차츰 잊혀져갔다. 요즘 가정주부 가운데 막걸리를 담글 줄 아는 이가 얼마나 될까? 당연히 사서 마시는 것으로 알뿐이다. 게다가 양주는 물론 와인이라는 이름으로 포장된 외래술이 술꾼들의 입맛을 장악하면서 막걸리는 또다시 뒷전으로 밀려나고 말았다.

분명한 것은 한 세대 전만 해도 우리는 생활에 필요한 물건은 대부분 자급자족했다는 사실이다. 술이 됐든, 옷이 됐든, 음식이 됐든, 놀이도구가 됐든 말이다. 생산해서 먹고 마시고 즐겼던 것이다. 지금은 생산을 망각한 채 단순히 소비하는 데 그쳐 아쉬움이 크다. 게다가 내 것은 우습게 생각하고, 남의 것은 대단하게 여기는 풍조까지 극성을 부려 더 그렇다.

7. 노년기

많은 사람들이 '카르텔 디엠(carpe diem; 지금 살고 있는 현재 이 순간에 충실하라는 뜻)'[89]을 외치며 살아가라고 말하지만, 내일을 위해서 오늘을 버리고, 욕망과 집착으로 빠르게 소진하는 삶을 사는 것 같다. 내게 사랑하는 사람이 생겼으니 이제 내 손을 맞잡고 함께 꽃길을 걸어갈 당신에게 한 가지 당부하고 싶다.

사랑을 자판기에서 뽑아먹을 수 있다고 생각하는 것이 아니라면, 우리의 만남이 만남보다 기다림이 더 길더라고 부디 천천히 사랑하자고, 오래도록 변치 않게, 그리고 천천히 사랑하자고. 쭉~.

Tu ne quaesieris—scire nefas—quem mihi, quem tibi
finem di dederint, Leuconoë, nec Babylonios
temptaris numeros. ut melius, quicquid erit, pati!
seu plures hiemes, seu tribuit Iuppiter ultimam,
quae nunc oppositis debilitat pumicibus mare
Tyrhenum. Sapias, vina liques, et spatio brevi
spem longam reseces. dum loquimur, fugerit invida
aetas: carpe diem, quam minimum credula postero.
- Quintus Horatius Flaccus

89) '오늘을 즐기라' 고 흔히 인용되는 경구. 라틴어 카르페(Carpe)는 '즐기다, 잡다, 사용하다' 라는 의미이고, 디엠(diem)은 '날' 을 의미한다.

레우코노에여 묻지 마시오, 신들이 당신과 나를 위해 무엇을 준비해 두었는지 우리는 알 수 없다오
바빌론의 점쟁이에게 미혹되지도 마시오, 무엇이 오든 견디는 것이 더 좋은 법이오
튀레눔 바다 절벽 위를 덮고 있는 그 겨울이
주피터 신이 당신에게 주신 또 하나의 겨울이든, 아니면 우리의 마지막 겨울이든간에 말이오
현명하시오, 와인도 드시오, 멀고 먼 희망은 떨쳐 버리시오, 생명은 짧다오
우리가 말하는 동안에도 아까운 시간은 지나가고 있다오
오늘을 잡으시오, 내일에 대한 믿음은 할 수만 있다면 접으시오.
-퀸투스 호라티우스 플라쿠스

가. 회상

우리는 누구나 마음속 아주 깊은 곳에 있는 인생의 앨범을 꺼내 사랑하고 가르침을 주었던 사람들과 그 장소를 떠올리며 추억어린 사진을 들여다볼 수 있다. 과거의 그 순간들, 아마 지금쯤 반쯤 잊어버렸을 테지만, 그때의 사진을 보기만 해도 희미한 기억이 떠오를 것이다. 아름다운 회상은 당신만을 위한 신성한 여행이다.

그녀는 창밖으로 내리는 비를 보며 회상에 잠겼다. 술이 한 순배 돌고 나자 그녀는 어린 시절의 회상 속으로 우리를 이끌었다.

글을 쓸 때마다 언제나 날씨가 더웠던 것은 물론 아니었다. 학교에서 교편을 잡았던 겨울 동안에는 매우 좋은 관사에서 기숙을 했다. 낮에 학교 일에 정신없이 매달리고 나서 맞는 저녁이면 너무나 피곤해서 글을 쓸 수가 없었다. 그래서 글을 쓰기 위해 아침마다 한 시간씩 일찍 일어나도록 자신을 훈련시켰다. 나는 그로부터 5개월 동안 어김없이 아침 6시면 일어나 옷을 입었다. 보일러를 틀지 않았기 때문에 집은 매우 추웠다. 나는 두꺼운 외투를 입고 발이 얼지 않도록 엉덩이로 깔고 앉았다. 손가락에 심한 경련이 일어나서 펜을 거의 쥘 수 없었지만 묘기를 부리듯 가까스로 글을 썼다. 이런 상황에서도 어떨 때는 푸른 하늘과 잔물결이 이는 시냇물과 꽃이 만날한 초원을 쾌활하게 노래하는 시를 쓰기도 했다. 글을 쓴 후에는 손을 녹이고 아침을 먹은 다음 학교에 출근했다.[90)]

'비온 뒤에 땅이 굳는다.' 라는 말이 있다. 그러나 비가 온 직후에 계속해서 땅을 밟으면 땅이 마르지 않으니 굳어지질 않는다. 비가 조금 내렸다고 밟지도 못하게 된다면 그게 무슨 길이냐고 할 수도 있지만 더 단단한 길로 거듭날 수 있게끔 잠시 내버려두는 여유도 필요하다.

짧은 생이지만, 살다보니 삶 또한 '가도(假道; 어떤 방법을 일시적으로 빌려서 씀)' 와 별반 다를 바가 없는 것같다는 생각이 든다. 고난이 마음을 더욱 굳건하게 만들어 줄 것임을 이미 알고 있다면, 그 고난을 잘 버티어 낼 수 있도록 그 힘든 시간을 충분히 음미하고, 다독일 줄 아는 마음의 여유를 가질 필요가 있다. 곧, 단단히

---

90) Linda Spence(린다 스펜스). 내 인생의 자서전 쓰는 법/황지현 옮김, 2008: 234.

굳어질 테니까.

어머니가 멀건 육개장 국물이 담긴 오지그릇을 밀어 주며 하는 말에 나는 퍼뜩 아이답지 않은 회상에서 깨어났다.

나의 어머니께서는 정말로 음식 솜씨가 좋다. 그래서일까. 나는 개인적으로 집에서 직접 해 먹지 아니하고 밖에서 음식을 사 먹는 외식(外食) 음식에 대해 그렇게 맛있다고 느껴본 적이 별로 없다.

그래서 가끔 '어머니가 음식을 잘하는 집 안에서 태어난 것이 꼭 축복인 것만은 아니구나' 하고 외람(猥濫)된 생각해 본 적이 있다. 그렇다고 입맛이 까다롭다거나, 가리는 음식이 있는 것도 아니라서 외식을 해도 먹기는 잘 먹지만, 막상 식사를 마치고 나면 뭔가 부족한 듯한 느낌이 들곤했었다.

누구나 다 그렇겠지만, 어머니께서 차려주시는 따스한 정성이 가득 담긴 그 음식들을 너무너무 좋아한다. 굳이 수저를 들어 맛을 보지 않아도, 그 맛을 누구보다 잘 알 수 있는 음식들. 세월을 따라 사랑과 함께 한 술, 두 술 넣다 보면 어느새 그리움이라는 이름의 정성이 잔뜩 들어간 어머니의 밥상. 세상에서 나에게 가장 훌륭하고 입맛에 무엇과도 비교할 수 없는 식단이다.

윌리엄 셱스피어(William Shakespeare)는 말했다. 인생은 멀리서 보면 희극, 가까이서 보면 비극이라고. 요즘 시대에는 '인생은 부분 확대해서 보면 희극이 아닌 삶이 없고, 전체를 보면 비극이 아닌 삶이 없다.'

결국 다른 사람의 인생을 부러워할 수 있다는 건, 그 사람의 삶을 살아본 적이 없기 때문이다.

지난 몇 년간, 가슴 떨리는 한 가지 사실을 발견했다. 70살이 넘기 전에는 인생의 비밀이 무엇인지 그 누구도 제대로 알 수 없다는 것이다. 70이 되어서야 비로소 인생이 시작된다. 그냥 인생의 또 다른 장이 시작되는 것이 아니라 진짜 인생이 시작되는 것이다.

가장 충격적인 것은 내가 혼자 남겨졌다는 사실이었다. 내 곁엔 아무도 없었다. 내가 여행을 떠났다가 집으로 돌아왔는지 죽었는지 아무도 몰랐다. 전화를 해도 아무도 받는 사람이 없었다. 그것이 가장 고통스럽고 슬펐다. 나는 밖에 나가지 않았다. 화초와 금붕어가가 있었다. 잘 키울 수 있을 것 같지 않았다. 그렇지만 집에 가면 온기가 느껴졌다. 금붕어들은 나를 향해 작은 입술로 쪼물거리며 관심을 원했다. 그들과 놀아 주어야 했고 이야기도 해 주어야 했다.

천상병 시인[91]의 귀천((歸天)을 읊어본다.

나 하늘로 돌아가리라
새벽빛 와 닿으면 스러지는
이슬 더불어 손에 손을 잡고

나 하늘로 돌아가리라
노을빛 함께 단 둘이서
기슭에서 놀다가 구름 손짓하면은

나 하늘로 돌아가리라
아름다운 이 세상 소풍 끝내는 날
가서, 아름다웠더라고 말하리라……

---

91) 귀천(歸天)은 하늘로 돌아간다는 뜻으로, 소풍 온 속세를 떠나 하늘로 돌아간다는 내용이다. 천상병 시인은 모진 고문의 후유증으로 몸과 정신이 많이 상했다. 불임이 되고 이가 많이 빠져 영양실조에 걸리는 등 신체적 고통을 겪었으며, 정신 착란 등으로 괴로워 하여 음주 없이는 잠도 못 이루는 지경이었다. 이런 힘든 상황에서 쓴 시가 바로 '귀천'이었다.

나. 전화교환원과 우체부

산밭은 수시변동. 요샌 감밭. 보통 새들에게 다 내주는데, 올핸 제법 감이 많이 달려 절반을 땄다. '든부자난거지' 식으로다가 속배가 부르네. 벌바람이 불더니 밤엔 기온이 뚝. 더위와 추위가 일주일 간격을 두고 물똥싸움. 고구마를 캐낸 황토 구릉을 보니 아는 스님 두상만 같구나. 친구 스님 얘기, 동자승 시절 때때중이라 놀렸는데, 그게 그렇게 서러웠다고. 어른이 되니 이젠 민머리를 보고 때까중이라 놀리는 애들까지 있더란다. 웃어버릴 법력을 얻은 스님은 누구에게나 합장하고 성불을 빌었지.

어릴 때 마을회관과 교회에만 전화기가 있었다. 산속 가난한 암자엔 전화기가 아직 없었다. 이장이 출타해서 다급한 스님은 교회를 찾아와 전화 한 통 청했는데, 목사인 아버지와 두 분이 차담을 나누는 걸 신기하게 구경했었다. 그때 그 스님 지금은 휴대폰을 들고 계시겠지? 이런 세상이 올 줄을 누가 알았겠나.

1987년까지 우리나라엔 전화교환원(보통 교환수라 불림)이 있었대. 전화를 건 이에게 받는 이를 찾아 연결해주는 일을 했었다. 나도 어린 시절 전화교환원과 통화를 해본 세대다. 전화 한번 하려고 해도 중매가 성사 안 되면 꽝.

집배원과 전화교환원 덕분에 사랑에 골인한 연인들이 속출했다. 자유연애가 불이 붙고, 단풍나무도 불이 붙고, 소방수는 가을이면 불 끄러 다니느라 바쁘고 괴로워. 햇볕이 좋아 마당 평상에서 요가를 하곤 해. 전화가 방해꾼이라 꺼 놓는다. 인도 요가 선생처럼 머리를 풀고서 다리를 꼬지. 안꼰다리 골라꽈, 꼰다리 또꽈 같은 이름을 가진 요기처럼 폼에 죽고 산다. 인도의 철학자 '알간디 모르간디'의 동그란 안경을 코끝에 놓고서 깨어나기 명상. 전화기도 뒤따라 깨어나면 쌓인 카톡. 산중고요를 방해하는 마귀떼들의 꼬드김. 전두환씨의 '조직 동원'은 아니라서 다행이지. 까마귀밥 단감이나 싸 들고 마실 행차 나갈란다.[92)]

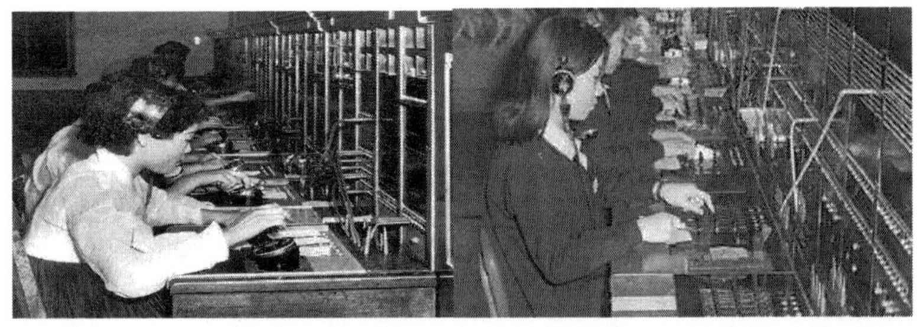

92) 임의진. 전화교환원, 경향신문, 2021. 10. 21.

다. 양푼열무 비빔밥

먹을 것이 귀하던 어린 시절 그나마 풍족했던 것은 채소와 보리쌀 등이었다. 열무 비빔밥은 봄철에 자주해 먹었는데 이 시기에 열무가 연해서 맛이 좋다.

엄마는 리더쉽(leadership) 이 있었다. 어딜 가든 동네 사람들을 다 불러 모으는 언변과 처세술이 강했다. 그 처세술은 먹는 것에서부터 시작되었다. 나른한 봄날 오후, 엄마는 동네 사람들을 불러모아 파티(party)를 열었다. 파티라고 해 봐야 대단한 음식을 대접하는 건 아니었다. 밭에 재배한 열무로 비빔밥을 해 먹는 것이었다.

그 음식은 어른들의 음식이었다. 아이들이 먹기에는 거친데다가 날것의 향이 났다. 그 파티에서 어린애는 나 하나였다. 어른들은 어린애가 어른 음식을 잘 먹는다고 칭찬해 주셨다.

열무 비빔빕은 찐짜로 맛이 있었다. 그 당시 열무는 지금보다 더 달았다. 색깔도 달랐던 것 같다. 연하고 고운 연둣빛을 띠었다. 그 열무를 손가락 길이로 뎅강 뎅강 잘라 찹쌀풀을 쑤어 빨간 고춧가루에 무친다. 신 김치만 먹던 나도 이 열무김치는 먹을 만했다. 그 열무김치에는 보리밥이 어울렸다.

조리법은 간단하다. 먼저 커다란 양푼에 김이 모락모락 나는 구수한 보리밥을 담는다. 그 위에 갓 무친 빨간 열무김치를 듬뿍 넣는다. 그 위에 고추장을 적당히 넣고 들기름을 휘휘 돌린 후 커다란 나무 주걱으로 골고루 섞어주면 끝이다. 이때, 비율이 중요하다.

고추장이나 밥, 또 들기름이나 열무김치량이 딱 적당해야 한다. 열무가 너무 많으면 신선한 열무의 식감이 떨어진다.

햇심은 고추장이었다. 고추장이 적으면 멀건 색이었다. 너무 빨개도 문제였다. 그러면 재빨리 엄마는 부엌에 가서 밥을 수북 퍼왔다. 따끈한 보리밥이 다시 얹히면 나무 주걱으로 휘휘 섞는다. 그렇게 붉은색의 명도와 채도를 얼추 맞추어 나간다. 모두 숙련된 주부들이라 먹어보지도 않고 색깔로 간을 맞추었다. 신기하게도 고추장 색깔이 적당했을 때에야 비로소 간도 딱 맞고 맛있는 열무비빔밥이 되었다.

그렇게 비벼진 열무 비빔밥을 한 숟가락 가득히 퍼서 입안에 넣는다. 가끔 입안에 미처 못 들어간 열무 가락이 삐죽이 입술에 늘어지기도 한다. 그러면 장난스러운 미소를 지으며 손가락으로 쏙 밀어 넣는다. 이때 입안에 들어간 열무와 밥은 내외하듯 각자 자기 자릴 고수한다. 미끄러지는 밥알은 이리저리 몸통을 뒤틀고 열무는 서석거리며 날 선 식감을 뽐낸다. 혀는 날쌔게 이 둘을 포획하여 이 사이로 밀어 넣는다. 그리고 잘게 씹는다.

이때 둥글둥글한 보리 밥알이 입안에서 톡톡 터진다. 열무를 씹을 땐 이 사이로 즙이 나오면서 신선한 풀 내를 풍겼다. 이 풀 내는 도시의 거실 안으로 흙냄새를 잡아들였다. 이 둘을 순하게 감싼 들기름은 집안에다 고소한 향내를 풍겼다.

밥 먹을 때의 풍경이 지금도 눈앞에 선명하다. 모두 둥근 양푼 가장자리에 둥그러니 둘러앉아서 먹었다. 여기에는 인원 제안이 있었다. 양품 지름으로 한정이 된 것이다. 대략 여섯 명 정도가 적정

인원이었다. 하루는 아홉 명이 온 적이 있다. 이때 엄마는 개인 밥 공기를 가져와서 한 그릇씩 퍼주었다. 그러자 다들 양푼에서 멀찍이 물러나 앉아서 밥상을 놓고 먹거나 손에 들고 먹었다. 하지만 웬걸 맛이 없었다. 같은 음식인데도 어째서 다른 맛이 나는 걸까(요즘도 철판볶음밥을 공기에 떠먹으면 철판에 두고 먹을 때보다 맛이 없다).

다들 양푼에 고개를 숙이고 먹을 때와는 다르게 고개를 빳빳이 들고 먹었다. 이때 훨씬 편하게 먹는데도 얼굴에 함박웃음이 없었다. 그저 한 끼의 식사를 때우는 것일 뿐이다. 그 뒤에는 인원을 제한했다. 간혹 고추장이 제대로 안 섞인 밥이 눈에 띄었다. 이땐 남의 영역이라도 상관이 없다. 기어코 자기 손가락을 침범해 들어가서는 남의 자리 앞의 밥을 쓱쓱 비벼주었다. 설사 남이라도 허연 밥을 먹으면 안 된다는 마음이었다. 그 한 숟가락을 먹을 때 만큼 덜 행복할가 봐서다. 거기 누구도 '이런 게 행복이지.' 라고 말하지 않았지만, 밥을 퍼 올릴 때마다 다들 한 숟가락만큼의 행복을 길어 올리고 있었다.

커다란 양푼에다 대여섯 명이 손가락을 담그고 활발히 휘저으면서 밥을 먹다니. 그것도 침이 튀도록 수다를 떨어가면서 말이다.

악수조차 눈치 보이는 요즘이다. 아는 사람이 버스 안에서 말을 많이 하다가 어느 할아버지한테 혼났다는 이야기도 들었다. 말을 하면 침이 튀어서다. 남이랑 포옹도 악수도, 말도 하면 안 되는 세상이 온 것인가. 그건 로봇의 삶 아닌가. 그렇게 120년 살면 뭐 하는지. 아니다. 그런 세상은 오면 안 된다. 빨리 코로나가 해결되어 포옹하고 악수하는 날이 왔으면 좋겠다.

비위생적이라고 해도 좋다. 여럿이서 커다란 양푼에다가 석석 열무 비빔밥을 비벼 먹던 날들이 눈물 나게 그립다.

홀몸으로 뿜어낼 수 있는 훈기를 체온이라 부른다. 그리고 내 곁에 있는 사람이 뿜어내는 훈기 또한 체온이다. 당신의 따스함 또한 체온이라 볼 수 있다.

구름같은 침대, 그 위에 솜사탕처럼 깔린 부드러운 이불 사이에서 맞닿은 살결이 전해주는 체온은 정말 뜬눈으로 밤을 지새워야 할 만큼 많은 생각이 들게끔 만드는 것이다.

당신과 내가 예의 그 구름과 솜사탕 사이에서 서로의 체온을 나눌 수 있었던 그때 맞닿은 살결의 온도는 우리가 서로 비슷한 온기를 내뿜고 있음을 나보다 조금 시린 손발의 온도는 내가 당신을 껴안아 줄 여지가 남아 있음을 그리고 나보다 좀 더 발그레해진 볼과 뜨거운 입술은 당신으로부터 시작되어 내게 다가올 온기가 아직 남아 있었음을 지각하게끔 해주는 무언의 지표라고 생각했다.

제 아무리 기복이 심해봤자 체온의 범주를 넘어설 수 없었을 텐데 높고 낮은 그것들이 전해주는 감정들은 때로는 기분의 가로축을, 때로는 이성의 세로축을 마비시킬 정도로 크게 와 닿는 경우가 많았던 것 같다.

온몸으로 꼭 껴안은 채로 전할 수 있는 체온이 있을까라는 생각을 해본 적이 있었다. 그러나 한겨울 잔뜩 껴입은 옷가지들 너머로 전해지는 체온도 존재한다는 사실을 깨달았던 날 체온 또한 가변성을 지닌 것이라서 얼마나 따듯하냐가 문제가 아니라 누구로부터 전해지는 것인지가 더 중요하다는 것을 깨닫고서야 비로소 나는 당신의 따스함을 깨달았는지도 모르겠다.

사랑하는 이로부터 한 줌 온기를 나눠받고 싶은 욕심이 자연스레 한 켠에 자리잡고 선 빠져나갈 생각을 하질 않으니.

사랑하는 사람이 생겼으면 좋겠다는 욕심이 동백꽃 피고 지는 것보다 더 만연했던 겨울날이었다. 봄이 온다 한들 쉬이 해소되지 않을 외로움이라는 걸 잘 알고 있지만 그래도 얼른 개나리와 벚꽃이 피었으면 좋겠다.

사실은 그보다 체온을 건네줄 사람이 있었으면 좋겠다. 아낌 없이 주어도 좋고, 차고 넘칠 정도로 받아도 좋으니 설렘을 가득 담은 두 눈으로 밤새도록 시간을 쪼개어 가슴 속에 나눠 담을 사람이 생겼으면 좋겠다.

라. 장독대

제주도에서는 장항굽, 이북에서는 장독걸이라고 부르기도 한다. 대부분 부엌 뒷문에 가까운 뒤곁 공간에 두지만, 격조 있는 집에서는 대청의 주축선과 연결시킨 정결한 자리에 배치한다. ㄱ자집에서는 안채의 옆공간인 뒤뜰에 놓기도 한다.

남해안과 서해안의 작은 집과 뒤곁이 넉넉하지 못한 산골짜기나 섬의 집들은 부엌 앞 양지바른 마당에 자리잡기도 한다. 때로는 부엌을 넓게 하고 부엌 한귀퉁이에 장독들을 세워놓기도 한다. 장독대는 배수가 잘되도록 약간 높은 곳, 혹은 지면에서 20~30㎝ 정도 높이로 호박돌과 자갈을 깔고 그 위에 여러 개의 판석을 깔아 만든다.

그러나 요즈음은 판석 대신 석회를 써서 마감하기도 한다. 모양은 긴네모꼴이 많으며 보통집의 용마루방향과 같게 놓인다. 크기는 2×3m, 3×4m, 혹은 2×4. 5m 등으로 일정하지 않다.

그러나 일반적으로 경기도를 중심으로 한 중부지방이 큰 장독대를 두는 경향이 있다. 이곳에는 우리의 기본식품인 간장·된장·고추장 및 빈 항아리를 나열한다.

드물게는 고춧가루·김치·깨·소금 등의 부식을 담은 작은 항아리를 두기도 한다. 장독들은 두 줄 또는 석 줄로 잘 정렬하여 배치하는바, 큰 독을 뒤쪽에 두고 작은 독은 앞쪽에 놓는다. 장독의 숫자는 지방에 따라 일정하지 않지만 큰 것이 4~6개 정도, 중간크기의 것이 4, 5개 정도이다.

작은 것은 대중이 없기는 하지만 이보다 훨씬 많으며 전체의 숫자는 대충 15개 내외이다. 그러나 살림이 풍족하지 않은 산간지대에서는 큰 독이 3, 4개, 작은 항아리가 3개 내외 정도이다. 특이하게 제주도에서는 둥근 모양의 장독대를 만들기도 한다.

제주도에서도 4, 5개의 장독을 놓아두는데, 이것은 육지의 산간지대와 같은 현상으로 장독대에는 장류만 저장하고 기타 부식품은 집안에 두기 때문이다.

영남과 호남지방의 일부에서는 장독대를 안마당에 두는 대신 주위에 나지막한 담장을 예쁘게 두르고 지붕을 해달아서 아름답게 꾸미기도 한다. 장독대에는 성주가 모셔져 있는 수가 많다.

예전엔 고추장, 된장을 집에서 직접 담가 먹었다. 요즘은 장을 담가 먹는 사람이 별로 없다. 장은 보관에 세심하게 신경 써야 한다. 낮에는 두껑을 열어 볕에 쪼이고, 저녁엔 서리를 맞지 않도록 덮어주었다. 특히 눈비가 내리려 하면 항아리 뚜껑을 미리 덮어야 했다. 설령 뚜껑을 닫는 일이 늦어져서 눈비를 맞아도 괜찮았다. 해가 나면 뚜껑을 열어 한껏 볕을 쪼이면 그만이었다. 자연 소독으로 다시 깨끗한 방이 되었다. 장은 항아리에 담겨 장독대에 옹기종기 모여 있었다. 그 항아리를 관리하는 건 예로부터 여자들의 부담내지는 권한이었다.

우리 집 항아리는 엄마가 신줏단지 모시듯 했는데, 관리 비법은 단순했다. 장 관리는 항아리 뚜껑 관리였다.

항아리 뚜껑은 무척 무거웠다. 어른들은 아이들이 깨뜨릴까봐 손도 대지 못하게 하였다. 조금 커서는 내가 항아리 뚜껑 관리 보조 역할을 도맡았다. 항아리 뚜껑을 관리하는 일은 무척 번거롭고 힘든 일이었다. 기상 변화를 일일이 신경 써야 했다.

비가 올 것 같으면 몸이 수신 어른들이 장독대 뚜껑을 닫으라고 하셨다. 그러면 거짓말처럼 곧바로 비가 왔다. 오랫동안 집을 비우면 어떻게 될까. 그땐 옆집이 있었다. 옆집에서 우리 집 대문을 통과하지 않아도 우리 집 장독대로 건너올 수 있었다. 장독대가 있는 우리 집 담벼락이 옆집 담벼락을 지탱하고 있었기 때문이다. 그땐 이웃끼리 이렇게 장독대 관리를 도와주었다.

별을 보면서 소원을 빌면 이루어진다는 속설 때문에 별똥별이 떨어지는 순간 소원을 빌면 실제로 소원이 이루어진다고 했다. 별똥별이 잘 보이는 곳이 장독대였으니 언젠가 나타날 별똥별을 기대하면서 자주 올라가곤 했다. 또 지붕에다 빠진 이빨을 던지며 주문을 외치던 곳이 장독대다. 이때 반드시 이빨의 주인이 직접 들고 장독대에 올아야 한다. 그리고는 큰고리로 외치는 것이다. "헌 이빨 갖고, 새 이빨 다오."

장독대에서 빌면 진짜로 이루어질 것 같다. 그러나 장독대의 주인공인 장독이 사라졌다. 장을 직접 담가 먹는 사람도 드물다. 가끔은 그 장독대가 있으면 좋겠다고 생각한다. 버리고 싶은 것들을 지붕 위로 휙 던져버리게. 슬픔, 후회, 미움, 고통, 그리고 그리움.

여름날 밤에는 하늘의 별을 보며 소원을 비는 것이다. 나에게 튼튼한 것들이 새로 돋아나기를 바라면서….[93]

8. 나의 노후 생활

기억을 보존하는 방법이 있다는 것을 아십니까? 기억을 그대로 유기(有機)하면 기억으로 남지만, 잘 다듬어서 보관하면 추억이 되듯 기억도 보관하는 방법이 있다.

인생을 살아가는 것은 어쩌면 향기 나는 색연필로 마음속에 낙서를 채워가는 과정인지도 모르겠다. 잘못 쓰거나 낙서가 마음에 들지 않는다면 지우개로 지워버리면 그만이지만 꾸꾸 눌러쓰느라 깊게 패인 골에 잔뜩 스민 향기는 어쩔 수 없다.

나도 모르게 궁금해진 과거의 내 모습을 보기 위해 그때 그 시절을 펼치면, 그 시절의 향기가 코끝을 간질이는 결국 인생이란 그런 건지도 모르겠다.

그러니 우리는 인생을 좀더 조심해서 색칠할 필요가 있다. 실수로 잘못 그렸다면 과감하게 지워내는 용기 또한 갖되 시간이 흘러 다시금 그때를 추억할 때면 나를 기다리고 있던 그 향기마저 사랑해 줄 줄 아는 마음을 가져야 한다.

살아온 모든 시간들이 꽃길을 걷는 듯 아름다운 시절은 아니었지만, 행복했던 순간도 불행했던 순간도 모두 나의 삶이었다.[94)]

나의 긴 기다림이 끝나고 이제는 그녀만을 위한 캐츠비(Gatsby)[95)]

---

93) 허윤숙. 달고나와 이발소 그림, 경기: 시간여행, 2022: 115-118.

94) 이정희. 평범한 삶, 경기: 부크크, 2017: 74.

95) 제1차 세계대전 직후 미국의 사회상을 생생하게 묘사한 이 작품은 온갖 사치와 향락이 난무하던 시기를 배경으로 당시의 모습이 투영된 다양한 인물 군상을 등장시킨다. 화자인 닉 캐러웨이의 시선으로 바라보는 그들의 모습을 한결같이 도덕적으로 타락한 부르주아지만, 개츠비는 다르다. 비록 외양은 허식으로 치장되어 있어도 꿈과 환상을 간직하고 그것을 성취하기 위해서 노력한다는 점에서 개츠비는 '위대하다' 고 할 수 있다.

가 되고 싶다. 조금 더 멋진, 조금 더 능력이 있는 그런 사람이 되고 싶은 마음에 더 열심히 인생의 순간순간 최선을 다해 살아갈 수 있을 것 같다.

그런 의미에서 누군가를 기다린다는 것은 그리움도 있지만 행복을 갈구할 수 있다는 희망도 있다. 기다림 끝에 그 사람이 와준다면 더할 나위 없이 좋겠지만 홀로 덩그러니 남는다 해도 이전보다는 훨씬 성숙된 사람이 되어 있는 자신을 보게 될 것이다.

가. 추억

그동안 살아온 모든 날들과 경험한 수천 가지의 것들은 모두 내 안에 새겨져 있다. 좋은 것이든 나쁜 것이든, 폭넓은 성장이든 잠깐 동안의 깨달음이든 할 것 없이…. 한 사람의 과거는 그저 과거로 흘러가 버리는 것이 아니다. 그의 삶에 흡수되는 것이다.

던지지 않은 주사위를 짝사랑이라고 부르고, 이미 나온 주사위의 눈을 인정하지 않는 것을 외사랑이라고 한다면, 나가 당신에게 했던 사랑은 아마도 외사랑에 가까웠을 거다. 수도 없이 고백했지만 당신은 내게 단 한 번도 확답을 주지 않았으니까.

나는 당신을 이해하려 했지만, 시작조차 못한 우리 사랑은 한 사람의 이해를 희생하여 시작할 수 있는 성질의 것이 아니었나 보다.

생각보다 많은 시간이 지났다. 딱 이맘때쯤 만났던 우리가 따뜻한 보믈 지나 여름을 건너지 못하고 헤어짐을 맞이했고, 서로를 외면한 채 가을이 지나, 삶이 끝나기 전에는 다시 마주 하지 못할 사이가 되자 다시 겨울이 왔다.

많이 아픈 만큼, 많이 미워했다. 미워서 원망하는 것은 너무나도 쉬운 것이었다. 사랑하는 와중에도 못내 섭섭했던 적이 있었으니까. 그러나 미워한고 해서 당신이 미운 사람이 되는 것도 아니었다. 당신이 완벽하게 잊혀진 것은 아닌 것 같다. 유난히 따뜻한 겨울이다. 나는 당신을 미워하려 노력하지 않을 겁니다. 잊으려고 술을 마시지도 않을 겁니다.

아름다운 만큼이나 인생이 불행했던 당신이었다. 눈물이 없이는 들을 수 없었던 당신 이야기가 부디 거짓은 아니었길 바란다. 다음 겨울쯤에는 나도 행복하고 싶으니 부디 내가 행복하고 싶은 만큼 당신이 행복하길 바란다.

시작부터가 외사랑이었다. 첫눈에 끌렸던 당신이기에, 단 한 순간의 망설임도 없이 사랑을 고백했던 것이 잘잘못이었나 본다. 그러나 천 번 그날이 다시 돌아온대도, 나는 그날과 같을 테니, 부디 우리 만남을 후회하지 않아 주길 바란다.

짧게, 그러나 깊게 사랑했던 당신과 몇 번인가 들렀던 추억이 있는 맛집. 함께 했던 그 장소가 아직도 마음이 아려 발길이 망설여지다가도, 이따금씩 외려 그 장소에서 함께 했던 순간들이 그리워 그 장소로 향하곤 하는 모습이 아직도 어색하다. 짧지만 깊게 사랑했던 그 사람에 대한 감정이 꼭 그렇다. 연준, 소풍, 자스민, 오므라인….

단 한 번이라도 좋으니 그 웃음을 다시금 볼 수 있는 날이 있었으면 좋겠다는 생각이 들다가도, 이내 당신이 내게 주었던 상처가 생각나 남은 일생동안 우연이라도 절대 마주치지 말았으면 좋겠다는 생각이 든다.

아직도 팽팽하게 줄다리기를 하고 있는 추억과 마음을 두고, 나는 모순이라고 말한다. 내가 가진 이 모순이라는 마음은, 내가 행복하길 바라는 만큼 당신이 행복하길 바라면서도 한편으로는 나를 불행하게 만들었던 만큼 당신이 불행하길 바라는 바람들이 아직도 창과 방패가 되어 이러지도, 저러지도 못한 채 나동그라져 있다.

나쁘지 않은 기분이다. 그러나 딱히 달갑지도 않다. 모순이다.[96]

늘 그녀는 내 마음에 있었다. 그냥 거기 그렇게 서 있었다. 나를 바라보고 기다리며, 그녀가 즐겨 입던, 이제는 예쁘게만 보이는 파란색 스웨터를 입고 말이다. 요즘에는 더욱 가까이 다가온 것 같다. 어젯밤에는 그녀의 향기도 맛을 수 있었다.

몇 번인가 데이트를 하고 난 뒤, 자스민에서 식사를 한 후 애인 같은 분위기로 팔장을 끼어보자는 핑계로 드디어 당신의 손을 처음 잡았던 날이 있다. 2023년 11월 26일.

---

96) 이정희. 평범한 삶, 경기: 부크크, 2017: 48-51.

그날따라 심장이 뛰는 소리가 너무 커서 당신께서는 맞닿은 손끝만으로도 내 박동을 들었을런지도 모른다. “아는 사람은 없겠지” 하는 당신의 곁에 걸으면서 알 듯 말 듯한 미소를 엷게 띤 채로 걷는 모습을 훔쳐보았다. 그 아름다운 머리내 속에서 연분홍빛을 띠는 조그만 편린 한 조각을 품어도 가슴 속에 온갖 봄꽃들을 피워내기에 부족함이 없을 거라는 생각을 했다.

행복했다. 당신이 내 곁에 존재하는 것만으로도 심장이 터질 듯 행복해서 이 이상의 행복을 바란다면 필시 벌을 받게 될 거라는 불안감이 들 정도로 정말 그렇게 행복했다.

그러나 욕심이 많은 나는 가는 계절의 끝자락에도 오는 계절의 초입에도 어쩌면 그 계절조차 가고 또 가서 한 해가 혹은 여러 해가 지나도 당신의 곁에 서서 같이 걷고 싶은 마음은 늘 기억하게 만든다.

만약 심장을 꺼내어 보여줄 수 있다면, 당신께 사랑을 고백하기가 조금은 수월했을 텐데. 그저 꺼내어 보여 주는 것만으로도 내가 얼마나 당신을 사랑하는지 알 수 있었을 테니. 그 웃음을 잠시 뒤로 미룬 채 진지한 얼굴로 나를 봤더라면.

설렘으로 가득 찬 호기심과 불안으로 가득 찬 욕심이 마구 뒤엉켜 정신이 없어질 때쯤 경포 호수에서 우리는 한 몸이 되었지. “내가 착각했어요.” 라는 말고 함께.

그리고 횡단보도를 지나 그곳이 집으로 가는 마지막 신호등이라는 걸 깨닫게 되자 허무함과 아쉬움, 욕심, 미련 등이 동시에 밀려오는 걸 느꼈다.

그저 손을 잡은 채로 그리 멀지 않은 호수길을 걸었고, 가벼운 입맞춤을 했을 뿐인데도 더 이상 그 어떤 감정이나 생각도 받아들일 수 없을 만큼 마음과 머릿속이 가득 차 버렸다.

아마도 신호등이 파란불로 바뀌었는데도 발걸음을 떼지 못한 채로 제자리에 서 있는 나를 당신은 뒤돌아 본 그 순간이었다. 혼자 끙끙 앓고 있던 설레는 고민이 나의 입술을 비집고 나와 당신에게 넘어간 것은 “사랑해요” 그러니 보니 겨우 네 글자였다.

무언가를 꽉 쥔 채 놓지 못하고 있는 손을 보면 어딘가 안타까워 보여 나도 모르게 다시금 눈길을 주는 경우가 있다. 하얗게 질려 핏기가 가신 손이, 그 작은 손으로 잡은 무언가를 놓지 않으려는 그 마음을 비춰낸 것같은 느낌이 들어서 그런 것같다. 그러니 놓지 못한 손이 안타까운 것인지, 놓지 못한 마음이 안타까운지 아직 모르겠다. 중요한 것은 바라보는 것조차 안타까운 그 마음이 곪삭으면, 미련이 남아 집착이 되어버린 거다. 놓지 않으려 잡은 마음이 착 달라붙어 이제는 떼려고 애를 써도 떨어지지 않게 되어버린 거다. 어쩌면 누군가를 붙잡고 싶은 마음과 뒤돌아섬에서 비롯한 미련, 그리고 받아들이지 못해 시작된 집착은 사랑을 앓는 이에게 예정된 순례길인지도 모른다.

집착에 빠진 이는 눈을 떴어도 맹인이다. 곁을 스쳐가는 이를 못피해 부딪이는 경우가 허다해지고, 건네진 술잔을 놓쳐 잔이 깨지고, 눈앞에 있는 이를 보지 못하고 허공만을 쳐다볼 뿐이지. 그러니 집착에 빠진 이들 중에는 눈을 감고 있는 시간이 많아지는 경우가 허다하다고 한다.

눈을 감으면 그곳에 당신이 있어서, 감은 눈을 뜨기가 죽을 만큼 힘들었던 적이 있다. 집착도 색이 바래지고 위에 먼지가 쌓이는 날이 오겠지. 따뜻한 봄날에.97)

나는 문득 깨달았다. 그동안 내가 기대했던 그 모든 것들은 그다지 중요하지 않았다는 것을 말이다. 순간 나는 과거의 기대에서 벗어나 새로운 어떤 것을 통해 인생의 진정한 황홀감과 충만감을 느꼈다. 그것은 바로 내가 어느 완전한 존재의 일부라는 믿음이었다. 그동안 나는 내가 어딘가에 그처럼 하나로 연결되어 있다는 느낌을 받은 적이 한 번도 없었다.

나. 춘매(春梅)

나는 아버지의 얼굴을 모른다. 한 번도 본 기억이 없기 때문이다. 그러나 그분에 대해 많은 것을 나는 알고 있다. 키가 훌쩍 크고 말수가 적으며 고집이 세다는 것을 ….

그뿐이 아니다. 아버지는 길을 걷다가 소낙비를 만나도 결코 남의 집 추녀 밑으로 들어가 비를 피한다거나 걸음을 서두르지 않았다. 그리고 시와 그림을 좋아하였으며 그중에서도 달빛 아래서 매화를 즐겨 그리셨다는 이야기를 늘 어머니에게 들어왔던 것이다.

오늘은 봄비가 내린다. 입춘이 지나고 처음으로 내리는 비다. 바람조차 잠든 저녁답, 이슬비 에 함초롬이 젖은 가로등 불빛이 퍽이나 환상적이다. 지금쯤, 고향 집 동편 화단에 매화나무는 한창 꽃

97) 이정희. 평범한 삶, 경기: 부크크, 2017: 91-92.

망울을 키우고 있을 것이다. 삼동의 매운 바람을 이기고 온 누리에 첫봄을 알리는 전령의 꽃, 매화의 그윽한 향기가 그립다.

매화가 피면 어머니는 제일 먼저 딸에게 꽃소식을 전해준다. 그분은 오랜 세월 동안 외로운 혼을 만나 영혼을 이루듯 매화를 가꾸어 왔다. 입춘이 지난 봄비 끝에 매화가 피기 시작하면 어머니는 하루에도 몇 번씩 창지문을 열어보신다.

묵은 가지에 수정같이 맑은 생기로 하얗게 피어 나는 매화를 완상하는 어머니 모습을 떠올려 본다. 아직도 팔순을 넘긴 노인답지 않게 흐트러지지 않은 몸가짐이 조심스럽다. 모시올 같은 머리를 단정하게 빗어 쪽진 모습이며 굽지 않은 반듯한 어깨선이 그러하다.

"무정한 사람, 무슨 역마살이 끼어 그렇게도 떠돌다 갔담. 쪽박에 밤톨 같은 어린 것들만 두고…"

어린 시절, 어머니가 바느질하며 혼자 되뇌이던 말이다. 쪽박의 밤톨이란 말을 알아듣지 못했던 나는 어머니의 그런 푸념을 귓등으로 흘려버리곤 했었다.

그러나 세월이 흘러간 지금은 어머니가 신음처럼 내뱉던 그 말이 가슴 아프게 되살아난다. 아버지가 돌아가실 때의 서른 여섯이던 어머니의 나이보다 열세 살을 더 먹고 나서야 정말 아버지는 무정한 사람이라는 것을 알게 된 것이다. 오십이 다 된 딸이 노랗게 빛바랜 사진으로 삼십대의 젊은 아버지를 대하면 아직도 바람 부는 벌판을 혼자 걷고 있는 것 같다.

옛말에 아버지를 일찍 여의면 평생 외롭고 어머니를 일찍 여의면 평생 슬프다고 했다. 유년시절의 일이다. 명절날 아침이면 쪽박의 밤톨끼리 차례를 지냈다. 아버지 사진을 내다 놓고 서투른 글씨로 큰 오빠가 지방을 썼다.

고사리 손으로 잔을 올리는 우리들 등 뒤에서 어머니는 행주치마로 눈물을 닦곤 하였다. 이렇듯 아버지가 계시지 않는다는 사실은 언제나 적연한 곳으로 우리들끼리만 밀려나온 듯 외롭고 쓸쓸하였다.

아버지가 집을 나간 것은 일제시대에 창씨개명 문제로 직장에서 해고당하고부터다. 타고난 성품이 대쪽 같던 아버지는 그 일을 기회로 방랑객이 되고 말았다. 한 번 집을 나서면 5년 이상 해를 넘겼다는데, 어쩌다 집에 온다 해도 고작 삼사 일 머물면 다시 떠나갔다고 했다.

우리 삼남매의 터울이 뜬 것은 어머니가 몇 년에 한 번씩 하늘을 보고 별을 땄기 때문이다. 여인이 수태할 때가 되면 동경 간 서방님도 돌아온다고 했는데, 아버지도 그런 삼신의 조화였 던가. 중국 상해에서, 때로는 만주 하얼빈에서 소리 소문 없이 돌아와 우리 삼남매가 태어나는 인연을 만드셨기에 말이다.

어머니는 나를 낳을 때 산고가 컸다고 한다. 아이를 낳고도 산모의 건강이 나빠 아버지께 전보를 쳤다는 것이다. 내가 태어난 지 일주일이 되던 날, 아버지는 매화나무 한 그루를 손에 들고 돌아왔다고 했다. 그 길로 동편화단에 매화를 심어 놓고 어머니에게 "저 매화나무는 우리 딸이 태어난 기념으로 심었소. 매화처럼 성정이 맑고 고운 딸로 키웁시다."

이렇게 말씀했다는 것이다. 위로 아들 형제를 두고 얻은 딸이라 아버지의 기쁨은 대단했던 모양이다. 강보에 싸인 아기를 자주 안아주었다며 길 떠나기 전 날 밤에는 지필묵을 꺼내다 묵매 한 폭을 그리셨다. 화제는 "매이냉이화 기품결(梅以冷而花 其品潔)" 이라고 써 어머니께 주었다고 한다. 어쩌면 당신의 죽음을 예감하고 아내와 어린 딸에게 마지막으로 남기고 간 말씀이 아니었던가 싶다.

아버지는 다음 해, 해방을 사흘 앞두고 객지에서 얻은 돌림병으로 '만주 길림성 부여현 부여 가 동문외구' 에서 서른여섯 나이로 불귀의 객이 되었다. 암울한 시대에 항상 높은 이상과 절대의 자유를 지향하던 그분은 가족들이 찾아갈 무덤마저도 이국 땅에 두고 가셨다. 내가 태어난지 열 달 밖에 안 되었을 때라니 나도 어지간히 아버지와의 인연이 박복한 사람이다.

창밖에는 여전히 봄비가 소근 거린다. 문풍지 바람에도 피가 잦아들던 내 젊음의 뜰에 늘 어두운 그림자로 서성이던 아버지, 매화꽃으로 다시 환생하는 그분의 고혼(孤魂)이 실려오는 걸까, 거미줄 같은 세우(細雨)가 시린 음계로 가슴을 적신다.

명대(明代) 화가 서위(徐渭)의 <매화도권(梅花圖卷)>

梅以冷而花 其品潔 (매이냉이화 기품결)
蘭以靜而花 其品幽 (난이정이화 기품유)

매화는 찬 기운으로 꽃을 피우니 그 품위가 맑고 난은 고요함으

로 꽃을 피우니 그 품위가 깊고 그윽하도다.[98)]

살아오는 내내 나는 누군가가 바라는 사람이 되기 위해 항상 조바심을 냈다. 이제 그런 어리석은 일을 그만 두겠다. 나는 그냥 나인 것이다.

춘매(春梅)가 꽃을 피웠다[99)]

내가 사랑한 것은
빙산이었다

얼음덩어리
뒤덮인
빙산이었다

내가 사랑한 것은
사막이었다

98) 김애자. 춘매(春梅), 새벽이슬, 2024. 3. 4.
99) 김용수. 춘매(春梅)는 아직도, 2024: 131.

바람도
불꽃이 되는
사막이었다

내가 기다린 것은
빙산과 사막 속에서
아름답게 피어난
춘매(春梅) 꽃이었다

나이는 나를 혼란스럽게 만들고 있다. 그동안 나는 조용히 살아왔다고 생각한다. 특히 60대 때 더욱 그랬다. 그런데 70대가 되면서 대단히 열정적으로 바뀌고 있다. 나이가 들면서 삶에 대한 욕망이 더욱 격렬해지는 것을 느낀다. 놀랍게도 뜨거운 신념이 솟구치기 시작하고 있다. 불과 몇 년 전만 해도 고요함을 즐기고 싶었는데, 지금은 바깥세상을 간섭하고 싶고 바로 잡고 싶은 일도 많다. 마치 내가 인생에 빚이라도 지고 있는 것처럼. 나는 마음을 가라앉혀야 한다. 도덕적인 열정에 사로잡히기에는 나 자신이 부족하다고 생각하기 때문이다.[100]

100) Linda Spence(린다 스펜스). 내 인생의 자서전 쓰는 법/황지현 옮김, 2008: 225.

다. 아지랑이

요즘 날씨가 참 좋다. 춥지도 덥지도 않아 1년 365일 이런 날씨가 계속 이어지면 좋겠다는 생각이 드는 따사로운 늦봄이다.

어린 시절 봄은 어머니의 냉잇국으로 시작해 가려운 눈가와 재채기를 지나 시원한 열무국수로 끝났다. 요즘에는 자동차 에어컨을 켜면서 봄이 여름으로 바뀌는 계절의 변화를 불현듯 깨닫기도 한다. 햇볕으로 뜨거워진 차 안에서 어느 날 에어컨을 켜기 시작할 무렵이면 또 다른 초여름의 낯익은 풍경이 있다. 자동차 앞 유리 너머 거리의 풍경이 아른거린다. 햇볕으로 뜨거워진 도로와 앞차 지붕에서 아지랑이가 꼼지락꼼지락 피어오른다.

우리 눈에 보이지 않지만 투명한 공기도 엄연히 존재하는 물질이다. 물리학에서 빛이 지나는 매질의 굴절률은 진공에서의 빛의 속도를 매질 안에서의 빛의 속도로 나눈 값이다. 진공의 굴절률은 1이고 진공에서 빛이 가장 빨라 어떤 매질이라도 굴절률이 1보다

작을 수 없다. 굴절률은 매질 안 빛의 속도에 반비례하므로 굴절률이 작은 매질에서 굴절률이 큰 매질로 진행하면 빛의 속도가 줄어든다.

물리학의 페르마의 원리에 따르면 빛은 출발지에서 목적지까지의 시간이 최소가 되는 경로로 나아간다. 어린 시절 거리에서 팔던 달달한 반투명 냉차에 담긴 숟가락이 휘어져 보였던 것도 페르마의 원리로 설명할 수 있다. 빛은 굴절률이 작아서 빠르게 나아갈 수 있는 공기 중의 경로의 길이는 늘리고 굴절률이 공기보다 큰 냉차 안 경로의 길이는 줄여서 전체 소요된 시간을 최소로 하고, 이로 인해 빛은 공기와 냉차의 경계에서 경로가 꺾인다. 그렇게 꺾여야 전체 소요시간이 최소가 된다. 돋보기로 햇빛을 모아 까만 먹지에 불붙이는 어릴 적 장난도 기억난다. 이것도 페르마의 원리와 관련된다. 돋보기 볼록렌즈의 가운데 부분은 두꺼워서 그곳을 수직으로 가로지르는 직선을 따라 통과한 빛은 거리는 짧아도 긴 시간을 여행해 초점에 도착한다. 한편 돋보기 둘레의 얇은 부분을 통과한 빛은 더 먼 거리를 진행해 초점에 도착하지만 소요되는 시간은 렌즈의 가운데를 직진해 통과한 빛과 같다. 돋보기 초점에 많은 햇빛이 모이는 이유는 여러 다른 경로를 거친 빛살의 진행 거리는 제각각 달라도 초점까지 하나같이 같은 시간이 걸리기 때문이다. 밝은 햇살의 많은 빛알은 정확히 같은 시간을 여행해 동시에 초점에 도착한다.

공기의 굴절률은 밀도에 따라 달라진다. 그리고 온도가 높아지면 공기의 밀도가 줄어든다. 햇볕으로 뜨거워진 도로 위 공기는 밀도가 작아 위로 오르면서 공기의 굴절률이 균일하지 않게 되고, 멀리서 다가와 대기를 통과하는 빛의 경로를 교란해 아지랑이를 만든다. 초여름 한낮 아지랑이의 물리학은 밤에 별빛의 깜박임을 만들어내는 원리와 같다. 우리 머리 위 상공 대기의 움직임으로 저 먼 우주에서 우리에게 다가온 별빛이 어른거리며 깜박임을 만든다.

여름날 멀리 뻗은 직진 도로를 가만히 바라보면 다가오는 자동차가 마치 그 아래에 물이 있듯이 반사되어 거꾸로 뒤집힌 모습으로 보인다. 이런 신기루 현상도 페르마의 원리로 만들어진다. 도로 바로 위는 온도가 높아 공기의 밀도가 작고 따라서 굴절률도 작아서 빛이 그곳을 통과할 때 짧은 시간이 걸린다.

저 멀리 똑바로 선 나무의 모습을 떠올려보라. 나무 꼭대기에서 출발한 빛은 똑바로 직진해 내 눈에 들어올 수도, 도로 위 뜨거운 공기를 통과해 올 수도 있다. 나무 꼭대기에서 똑바로 직진한 빛은 거리는 짧아도 온도가 조금 낮아 굴절률이 조금 큰 공기의 영역을 조금 느리게 통과하고, 나무 꼭대기에서 도로 바로 위를 거쳐 아래로 휜 경로로 진행한 빛은 조금 먼 거리를 우회하지만 통과한 대기의 온도가 높아 굴절률이 조금 더 작아 더 빠른 속도로 진행한다. 결국 내 눈에는 나무 꼭대기에서 출발한 서로 다른 두 경로의 빛이 동시에 도착한다. 똑바로 선 나무는 지면 근처 뜨거운 공기층을 통과해 내 눈에 도달하는 과정에서 위아래 모습이 뒤집힌다. 거꾸로 아래의 온도가 낮고 위의 온도가 높으면 물체가 뒤집히지 않은 모습으로 공중에 둥둥 떠 있는 것처럼 보일 수도 있다.

꼼지락 아지랑이의 시각적 효과인지 나는 봄날 자꾸 졸음이 온다. 어질어질 피어오르는 늦봄 오후의 아지랑이를 보면 숨 가쁜 세상 잊고 시원한 나무 그늘 아래 낮잠 한번 늘어지게 자고 싶어진다. 곧 여름이다. 달게 자고 일어나 깍두기 반찬에 찬물에 만 밥 한 그릇을 후루룩 뚝딱한 어린 시절 추억이 아지랑이처럼 피어오른다.[101]

라. 호학(好學)

공자는 일찍이 "열 가구 안팎의 작은 마을에도 나만큼 충성과 신의를 갖춘 사람이 있을 것이다. 그러나 나처럼 배우기를 좋아하는 사람은 아마 없을 것이다" 라고 하였다. 공자가 지나친 자부심으로 자기 자랑을 한 것처럼 들리지만, 실은 타인을 '면려(勉勵, 애써 노력하게 함)' 하기 위해 한 말이다.

비록 충(忠)과 신(信)의 성품을 타고났다고 하더라도 배움이 모자라면 그런 충성과 신의는 퇴색하거나 변질하고 만다. 이에, 공자는 끊임없이 배우는 노력을 해야만 시골사람에 머무르지 않고 성인의 경지까지 나아갈 수 있음을 면려하기 위해 배우기를 좋아한 자신의 생활 태도를 강조하여 말한 것이다.

공자는 "종일 밥도 안 먹고, 밤새 잠도 안 자며 사색해 봐도 얻는 게 없으니 배우는 것만 못하다(終日不食, 終夜不寢, 以思, 無益, 不如學也 『논어』 위령공편)" 라고도 했다. 역시 배움을 강조한 말이다. 배운 정도에 따라 사색과 창의력의 수준이 달라진다. 배우

101) 김범준. 아지랑이, 경향신문. 2024. 5. 22.

지 않은 '빈 머리'의 사색은 창의력으로 이어지지 않고, '검색'을 통해 임시로 채운 '풋머리'로는 양질의 창의력을 발휘할 수 없다. 즐겨 배워 '익힌 머리'라야 훌륭한 인품도 발현되고 뛰어난 창의력도 샘솟는다. 공자의 '好學' 정신을 받들어야 할 이유이다.102)

여름을 기다리는 이유 중 하나가 '밤에 하는 산책'이다. 거주지가 학교 근방이라 보통 퇴근 후 교정이나 교내 원형운동장을 슬렁슬렁 걷곤 하지만 여름방학이 시작되고 해넘이 시간이 늦어지면 버스 타고 아랫마을로 내려가 이 골목 저 골목 돌아다닌다.

목적지 없이 걷다 오래된 연립주택 단지의 사잇길로 들어섰던 밤이었다. 갑자기 비가 내려, 자동차 클랙슨과 흩날리는 빗방울을 피하고자 건물 처마 쪽에 몸을 밀착시켰다. 1층 어느 창틈에선가 생선 굽는 냄새가 났다. 김치찌개 냄새와 알감자나 어묵 같은 것을 달큼하게 졸이는 내음도 한데 섞여들었다. 반쯤 드리운 부엌 커튼

102) 김병기. 호학(好學), 중앙일보. 2023. 12. 28.

사이로 옛날식 가스레인지와 싱크대가 얼핏 보였다. 뚝배기에선 찌개가 보글보글 끓었고 도마엔 채소들이 나란히 놓여 있었다. 옆 칸에선 서툴지만 또박또박한 피아노 소리가 들려왔다. 솔도 미솔도 미레 레도 도시라라. 유년기 여름날 동네 음악학원의 열린 창 너머로 흘러나오던 익숙한 '소녀의 기도' 멜로디였다. <피아노 명곡집>에 수록되었던 이 곡은 과연 세대를 초월하여 소녀들에게 사랑받는 명연습곡인가 보았다. 아니, 어쩌면 소년의 연주였을지도 모른다. 타인의 일상 공간 주변에 계속 서 있으면 안 될 것 같아 발걸음을 옮기면서도 집밥 내음과 피아노 소리가 있는 그 장면이 좋아 할 수 있는 한 천천히 걸었다.

구시가지 아래까지 제법 멀리 내려갔던 또 다른 밤엔 골목을 걷다 아담한 교회 건물에 닿았다. 주일학교 여름 캠프 준비 중인지 평일 밤인데도 마당은 북적북적했다. 유치부원들이 색종이로 오려 붙인 듯한 벽면 글자들이 삐뚤빼뚤 사랑스러웠다. 학생 시절 다녔던 제기동성당의 여름 밤공기가 시간을 거슬러 얇은 원피스 자락 안으로 스미는 기분이었다. 한동안 산책길에 부러 그쪽을 경유했다. 교회 앞뜰이 복닥거리면 덩달아 마음 환해졌고, 불이 꺼져 있으면 괜히 아쉽기도 했다.

같은 골목 안엔 개업한 지 얼마 안 된 분식집이 있었다. 떡볶이와 주먹밥, 라면 등을 파는 데였다. 어느 토요일 저녁 교회 중고등부로 추정되는 학생들이 손을 들어 올리며 식전기도하는 모습을 그 분식집 통유리창 너머로 봤다. 다음 순간 이쪽으로 걸어오던, 교리교사로 보이는 청년들이 누군가를 험담하며 내 옆을 쓱 지나

더니 가게로 들어서서 곧장 기도에 합류하는 것이었다. 뒷담화에서 신앙생활로 자연스레 넘어가는 순발력이란. 종교나 종파를 불문하고 신앙단체 언저리에 있어 본 사람에겐 낯설지 않을 그 장면에 피식 웃음이 났다.

모퉁이를 도니 국숫집이 하나 나왔다. 얼핏 보기에도 유서 깊은 고기국수 가게는 아닌 듯했고 예전 '팬시점' 분위기로 아기자기하게 단장한 조그만 식당이었다. 지나칠 때면 들어가 보고 싶었다. 국물 맛이 끝내주거나 면발이 기가 막힐 것 같아서라기보단 여름밤에 찬 국수 한 그릇 하는 경험을 갖고 싶어서. 하지만 그쪽을 지날 즈음엔 대개 저녁밥을 먹은 뒤였다. 김밥 한 줄이면 배가 차는 나로서는 야참으로 국수까지 후루룩 해치우는 건 아무래도 무리였다. 하루는 밤 산책 도중 거기에 들르고자 늦도록 식사를 안 했다. 가게 문을 밀고 들어서니 저쪽 테이블에서 초등학생 둘과 학원 마칠 시각에 맞춰 아이들을 데리러 온 듯한 어머니가 카레 돈가스와 멸치국수를 나눠 먹고 있었다. 탁상 위의 스피커에선 루시드 폴의 노래가 나지막이 흘러나왔다. 돼지 수육 조각 대신 채 썬 오이와 무절임과 삶은 달걀을 고명으로 올린 '육지식' 비빔국수를 오랜만에 맛보았다.

다음 주 지나면 종강이다. 급한 일들을 마치는 대로 섬 북쪽 마을의 밤 골목을 이리저리 걸어야겠다. 교회당 앞마당이 여름 캠프 준비로 북적이고 열린 창으로는 피아노 연습곡이 흘러나오는, 동네 치킨집의 닭 튀기는 내음이 고소하고 길모퉁이 가게에선 시원한 국수 말아주는. 이게 뭐라고 기대가 된다.[103)]

사랑! 영혼(靈魂)의 향기(香氣)에 취하라

그대여 영혼의 향기로 사랑한 적 있는가. 사랑하면 할수록 영혼의 향기가 그윽해 짐을 느껴 본 적 있는가. 사람마다 지문이 다르듯 영혼의 향기가 다름을 느껴 본 적 있는가. 영혼의 향기가 말하는 소리에 귀 기울려 본 적 있는가. 그대 가슴에 난 영혼의 귀로 소리를 들어보라. 그대 가슴에 난 영혼의 코로 향기를 맡아보라.

영원히 시들지 않고 마르지 않는 영혼의 향기를 육체의 향기로 나눈 사랑 그 육신의 옷 벗으면 끝나지만 머리로 나눈 사랑 언젠가는 희미하게 지워지지만 가슴으로 나눈 사랑 영원히 시들지 않고 마르지 않음을 아는가. 어떤 사람 살며 한 번도 영혼의 소리 못 듣고 어떤 사람 살며 한 번도 영혼의 향기 못 맡고 세상 옷을 훌훌 벗어버리지만....그대여 영혼의 향기로 사랑하여라.

영원히 시들지 않고 영원히 마르지 않는 가슴으로 사랑하여라. 세상 끝 넘어가도 변치 않는 영혼의 향기로 사랑하여라.

103) 이소영. 밤에 하는 산책, 경향신문. 2024. 6. 11.

Ⅲ. 나가는 글

스코틀랜드의 18세기 철학자 데이비드 흄은 죽기 직전에 아주 짧은 자서전을 썼는데, 이것은 사물을 최대한 이용한다는 구어적 의미에서 '철학적' 인 태도를 상징한다. 그는 자신의 다양한 저서들이 받은 엇갈린 반응을 유머로 묘사하며 자신의 마지막 병에 대해 이와 유사하게 낙관적인 설명으로 마무리했다.

학창 시절 일기 쓰기가 숙제였지만, 우리는 사실 글쓰기 교육을 제대로 받아보지 못했다. 그래서일까, 작가가 되려는 꿈이 있는 사람이 아닌 이상 글을 제대로 써 보지 않은 듯하다.

시대의 변화로 자신의 생각을 글로 표현할 기회는 많아졌으나 이 역시 한계가 있는 것이 순간순간의 감정을 주로 기록하게 될 뿐, 체계적인 삶의 기록이 이루어지기는 쉽지 않다.

이 책을 엮어나가면서 가슴이 아렸다. 어릴 적 즐거웠던 일, 가슴 아팠던 일, 도 어른이 되어 가면서 겪었던 여러 일들이 떠올랐기 때문이다. 코끝이 찡하게 만드는 순간도 여러 번 있었다. 내가 어떤 일을 잘했는지도 어떤 실수를 저질렀는지도 새삼 깨닫게 되었다.

이 책을 읽는 독자들은 당장 시작해 보기를 권한다. 자신의 자서전 쓰기를 말이다. 시간이 흐름에 따라 희미해져 가는 기억들을 하나하나 이어가다 보면 확신컨대 읽는 이로 하여금 눈물짓고 미소

짓게 만드는 드라마가 완성될 것이다. 아이들에게는 더 없이 훌륭한 유산이 될 것이고 사랑하는 이에게는 자신을 각인하는 세상에 하나밖에 없는 선물이 될 것이다.

마크 트웨인(Mark Twain)[104]은 자신의 자서전을 쓰며 '인간 심리의 가장 솔직하고 자유롭게 사적인 결과물은 연애편지' 라고 했다.[105][106] 그 연애편지를 쓸 때처럼 진솔하고 자유롭게 자신의 이야기를 쓰겠다고, 독자들도 세상에 하나밖에 없는 연애편지를 한번 남겨 보기 바란다.

'시작이 반(半)' 이란 말대로 무조건 매일 써 보는 시작부터 하는 것이다. 연습장이나 가로줄이 있는 빈 노트에다 세로줄을 그어서 인생 주기표를 만든 다음에 손이 가는 대로 유년시절 이야기부터 기억나는 대로 메모하는 것이다. 무질서하게라도 자유롭게 써보는 것이다. 언제라도 할 것이라면 지금 당장 하자는 말이 있다. 언제라도 써야 할 자서전이라면 지금 당장 쓰자!

일단 이렇게도 시작을 했으면 시작을 했다는 만족감에 자꾸 들여다보게 되고, 들여다보면 자꾸 내용을 보완, 수정하며 계속 이어갈 의욕이 생긴다. 쓰다만 원고 뭉치를 보면 답답한 생각이 들어서 마저 써서 완성하려는 의지가 생긴다. 그러니 어떤 핑계는 대지 말고 지금 당장 자유롭게 써 보시길!

---

104) 윌리엄 포크너는 트웨인을 '미국 문학의 아버지'라고, 어니스트 헤밍웨이는 '미국의 모든 현대 문학은 <허클베리 핀의 모험>에서 시작되었다.'라고 평가했다. 마크 트웨인은 19세기 미국 사회의 부조리를 현실적으로 그려 미국 현대 문학사에 큰 전환점을 마련했다는 평가를 받는다.

105) Linda Spence(린다 스펜스). 내 인생의 자서전 쓰는 법/황지현 옮김, 2008: 248.

106) 1906년에 자서전을 구술하기 시작했는데, 산만하고 일관성이 없는 이 자서전은 1910년 4월 트웨인이 죽을 때까지도 완성되지 못했다.

참고문헌

江原大學校 師範大學 體育敎育科 20年史. 내가 다시 대학생이 된다면, 춘천: 강원출판사, 1989: 50-51.

강원도체육회. 강원체육사, 춘천: 강원출판사, 2001.

강형란. 삶, 행복 그리고 사랑, 서울: 부크크, 2022.

고진하. 어린 야만을 용서하다, 서울신문, 2017. 5. 23.

김경목. 1953년 국군의 모습, 뉴시스, 2014. 10. 04.

김민기. 젊을 때 이혼·실직하면 노년기 치매 위험 커진다, 조선일보, 2024. 5. 19.

김병기. 호학(好學), 중앙일보. 2023. 12. 28.

김범준. 아지랑이, 경향신문. 2024. 5. 22.

김석수. 2009년 11월 5일. 강원도 우슈협회사무실.

김용수. 자서전 쓰기, 서울: 부크크, 2022.

김용수. 나의 삶, 체육·스포츠를 말하다. 서울: 부크크, 2022.

김용수. 나의 삶과 체육·스포츠, 인류학적 이야기, 서울: 부크크, 2022.

김용수. 나의 삶, 자서전 쓰는 법, 서울: 부크크, 2023.

김용수. 발락고개, 서울: 부크크, 2024.

김용수. 자서전을 쓰면서 행복 찾기, 서울: 부크크. 2024.

김용수. 나의 삶을 말하다, 서울: 부크크, 2024.

김애자. 춘매(春梅), 새벽이슬, 2024. 3. 4.

김일환, 이형근. 다시돌아 보는 4.19 혁명, 대검찰청 블로그, 2013. 04. 17.

김찬호. 생애의 발견, 서울: 인물과사상사, 2010.
김창섭. 2009년 11월 7일. 강원도 임계고등학교 체육실.
남궁인. 지독한 하루, 서울: 문학동네, 2017.
류시화. 외눈박이 물고기의 사랑, 서울: 무소의뿔, 2016.
박민정. 국민영양제 '원기소' 사라진다, 뉴스파인더, 2017. 08. 16.
복 길. 내가 살던 고향은, 경향신문, 2022. 02. 17.
안성학. 그 사람은 돌아오고 나는 거기 없었네, 서울: 실천문학사, 2014.
유병길. '밀 서리' 의 향수, 시니어매일, 2021. 06. 02.
유병길. 아련한 추억이 가물가물, 참새잡기, 시니어매일, 2021. 05. 12.
유형재. 강릉 학산오독떼기 모내기 재연, 연합뉴스, 2008. 5. 23.
이서영. 사랑으로 떠나는 인문학 여행-오쇼 라즈니쉬 사랑과 성숙에 대하여- , 솔아북스, 2016.
이정희. 평범한 삶, 경기: 부크크, 2017: 48-51.
임영택. 당신은 왜 그렇게 사십니까?, 충북일보, 2024. 3. 5.
임의진. 알통, 경향신문, 2021. 02. 25. .
임의진. 전화교환원, 경향신문, 2021. 10. 21.
장현정. 학교는 절대 멈춰선 안된다, 강원일보, 2020. 9. 4, 18면.
조상윤 외. 나는 꽃, 글래스하퍼 크리에이티브, 2016: 3.
철학과 현실, 1990년 봄호, 장을병, 대학의 민주화, 1990: 36-37.
철학과 현실, 1990년 봄호, 황필호, 대학 교수론, 1990: 44.
철학과 현실, 1990년 봄호, 유병석, 동진공화국, 1990: 278-281.
최지인. 나는 벽에 붙어 잤다, 서울: 민음사, 2017.
하성란. 막다른 골목에 서다, 한국일보, 2009. 12. 21.
하정희, 서유진, 송정빈, 오모. 주말 7시, 서울: 주식회사 한태,

2022.
한무경. 또 다른 '젊은 나' 꿈꾸며, 매일경제, 2017. 6. 26.
함성중. 인생 이모작, 제주일보, 2022. 12. 15.
허윤숙. 달고나와 이발소 그림, 경기: 시간여행, 2022.
허윤숙. 장은석. 달고나와 이발소 그림. 경기: 시간여행, 2022.
그레고어 아이젠하우어(Gregor Eisenhauer)/배명자 옮김(2015). 내 인생의 결산 보고서, 서울: 책세상.
기시미 이치로(岸見一郎)/전경아 옮김(2022). 아직 긴 인생이 남았습니다. 서울: 한국경제신문.
로맹롤랑(Romain Rolland)/이정림 옮김(2007). 위대한 예술가의 생애, 경기: 범우사.
루스 마틴(Ruth R. Martin)/이효선 옮김(2005). 사회복지실천에서의 구술사, 경기: 양서원.
루시 모드 몽고메리(Lucy Maud Montgomery)/안기순 옮김(2007). 루시 모드 몽고메리, 서울: 고즈윈.
린다 스펜스(Linda Spence)/황지현 옮김(2008). 내 인생의 자서전 쓰는법, 서울: 고즈윈.
마가렛 미드(Margaret Mead)/최혁순, 최인옥 공역(2001). 마가렛 미드 자서전, 서울: 범우사.
마크 트웨인(Mark Twain)/안기순 옮김(2007). 마크 트웨인 자서전, 서울: 고즈윈.
벤저민 프랭클린(Benjamin Franklin)/강주현 옮김(2022). 벤저민 프랭클린 자서전, 서울: 현대지성.
살바도르 달리(Salvador Dali)/이은진 옮김(2005). 살바도르 달리, 서울: 이마고.
스콧 니어링(Scott Nearing)/김라합 옮김(2011). 스콧 니어링 자서전,

서울: 실천문학사.
안젤레스 에리엔(Angeles Arrien)/김승환 옮김(2008). 아름답게 나이 든다는 것, 서울: 눈과마음.
에리히 프롬(Erich Fromm)/김석희 역(2012). 자유로부터의 도피, 서울: 휴머니스트.
엘릭 호퍼(Eric Hoffer)/방대수 옮김(2009). 길 위의 철학자, 서울: 이다미디어.
이와나미(岩波)/박선양 역(2000). 나의 정년 후, 서울: 이진출판사.
잉에보르크 바흐만(Ingeborg Bachmann)/차경아 번역(1995), 삼십세, 서울: 문예출판사.
조문윤(趙文潤), 왕쌍회(王雙懷)/김택중, 안명자, 김문 옮김(2004). 무측천 평전, 서울: 책과 함께.
지미 카터(Jimmy Carter)/김은령 옮김(2005). 아름다운 노년. 서울: 생각의 나무.
크리스토프 린덴베르크(Christoph Lindenberg)/이정희 옮김(1998). 슈타이너, 서울: 한길사.
키케로(Marcus Tulius Cicero)/오흥식 옮김(2007). 노년에 관하여, 서울: 궁리출판.
한스 크리스티안 안데르센(Hans Christian Andersen)/이경식 역(2020). 안데르센 자서전, 서울: 올재클래식스.
후지다 다카노리(藤田孝典)/홍성민 역(2017). 과로노인, 서울: 청림출판.
후쿠자와 유키치(福澤諭吉)/허호 옮김(2010). 후쿠자와 유키치 자서전, 서울: 이산.